2020年版
ハン検
過去問題集
中級
3級
「ハングル」能力検定試験

JN117899

まえがき

「ハングル」能力検定試験は日本で初めての韓国・朝鮮語検定試験として、1993年の第1回実施から今日まで53回実施され、延べ出願者数は43万人を超えました。これもひとえに皆さまのご支持の賜物と深く感謝しております。

ハングル能力検定協会は、日本で「ハングル」[*1)]を普及し、日本語ネイティブの「ハングル」学習到達度に公平・公正な社会的評価を与え、南北のハングル表記の統一に貢献するという3つの理念で検定試験を実施して参りました。

2019年春季第52回検定試験は全国61ヶ所、秋季第53回検定試験は72ヶ所の会場で実施され、出願者数は合計20,231名となりました。

本書は「2020年版ハン検[*2)]過去問題集」として2019年第52回、第53回検定試験の問題を各級ごとにまとめたものです。それぞれに問題（聞きとりはＣＤ）と解答、日本語訳と詳しいワンポイントアドバイスをつけました。

「ハン検」は春季第50回検定試験より試験の実施要項が変わり、一部問題数と形式も変わりました。新実施要項に対応した本書で、試験問題の出題傾向や出題形式を把握し、これからの本試験に備えていただければ幸いです。

これからも「ハングル」を学ぶ日本語ネイティブのための唯一の試験である「ハン検」を、入門・初級の方から地域及び全国通訳案内士などの資格取得を目指す上級の方まで、より豊かな人生へのパスポートとして、幅広くご活用ください。

最後に、本検定試験実施のためにご協力くださったすべての方々に、心から感謝の意を表します。

2020年3月吉日

特定非営利活動法人
ハングル能力検定協会

[*1)] 当協会は「韓国・朝鮮語」を統括する意味で「ハングル」を用いておりますが、協会名は固有名詞のため、「」は用いず、ハングル能力検定協会とします。

[*2)] 「ハン検」は「ハングル」能力検定試験の略称です。

目　　次

◎3級（中級前半）のレベルの目安と合格ライン

■レベルの目安

60分授業を160回受講した程度。日常的な場面で使われる基本的な韓国・朝鮮語を理解し、それらを用いて表現できる。

・決まり文句以外の表現を用いてあいさつなどができ、丁寧な依頼や誘いはもちろん、指示・命令、依頼や誘いの受諾や拒否、許可の授受など様々な意図を大まかに表現することができる。

・私的で身近な話題ばかりでなく、親しみのある社会的出来事についても話題にできる。

・日記や手紙など比較的長い文やまとまりを持った文章を読んだり聞いたりして、その大意をつかむことができる。

・単語の範囲にとどまらず、連語など組合せとして用いられる表現や、使用頻度の高い慣用句なども理解し、使用することができる。

■合格ライン

●100点満点（聞取40点中必須12点以上、筆記60点中必須24点以上）中、
60点以上合格。

◎記号について

[　]：発音の表記であることを示す。

〈　〉：漢字語の漢字表記（日本漢字に依る）であることを示す。

(　)：当該部分が省略可能であるか、前後に(　)内のような単語などが続くことを示す。

【　】：品詞情報など、何らかの補足説明が必要であると判断された箇所に用いる。

「　」：Point中の日本語訳であることを示す。

★：大韓民国と朝鮮民主主義人民共和国とでの、正書法における表記の違いを示す（南★北）。

◎「、」と「；」の使い分けについて

1つの単語の意味が多岐にわたる場合、関連の深い意味同士を「、」で区切り、それとは異なる別の意味で捉えた方が分かりやすいものは「;」で区切って示した。また、同音異義語の訳についても、「；」で区切っている。

◎／ならびに｛／｝について

／は言い替え可能であることを示す。用言語尾の意味を考える上で、動詞や形容詞など品詞ごとに日本語訳が変わる場合は、例えば、「～｛する／である｝が」のように示している。これは、「～するが」、「～であるが」という意味である。

3級

聞きとり　20問/30分
筆　　記　40問/60分

2019年 春季 第52回
「ハングル」能力検定試験

【試験前の注意事項】

1）監督の指示があるまで、問題冊子を開いてはいけません。
2）聞きとり試験中に筆記試験の問題部分を見ることは不正行為となるので、充分ご注意ください。
3）この問題冊子は試験終了後に持ち帰ってください。
　マークシートを教室外に持ち出した場合、試験は無効となります。

※CD3などの番号はCDのトラックナンバーです。

【マークシート記入時の注意事項】

1）マークシートへの記入は「記入例」を参照し、ＨＢ以上の黒鉛筆またはシャープペンシルではっきりとマークしてください。ボールペンやサインペンは使用できません。
　訂正する場合、消しゴムで丁寧に消してください。
2）氏名、受験地、受験地コード、受験番号、生まれ月日は、もれのないよう正しくマークし、記入してください。
3）マークシートにメモをしてはいけません。メモをする場合は、この問題冊子にしてください。
4）マークシートを汚したり、折り曲げたりしないでください。

※試験の解答速報は、6月2日の試験終了後、協会公式ＨＰにて公開します。
※試験結果や採点について、お電話でのお問い合わせにはお答えできません。

◆次回 2019年 秋季 第53回検定：11月10日（日）実施◆

第52回 マークシート

「ハングル」能力検定試験

個人情報欄 ※必ずご記入ください

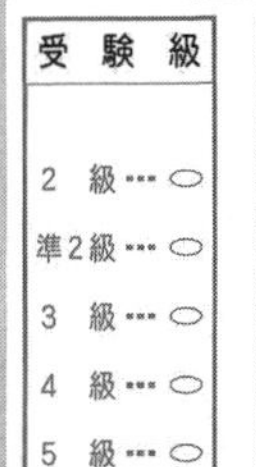

受験地コード

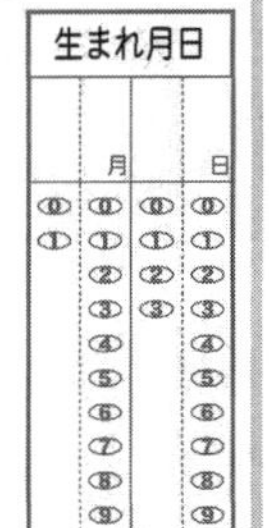

生まれ月日　月　日

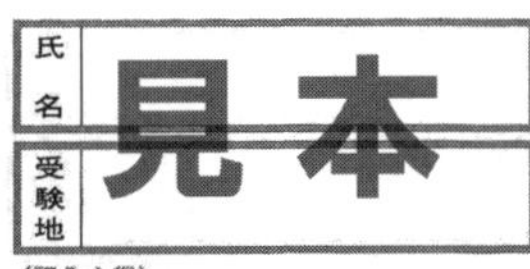

(記入心得)
1. ＨＢ以上の黒鉛筆またはシャープペンシルを使用してください。
(ボールペン・マジックは使用不可)
2. 訂正するときは、消しゴムで完全に消してください。
3. 枠からはみ出さないように、ていねいに塗りつぶしてください。

(記入例)解答が「1」の場合

良い例

悪い例　レ点　線　バッテン　点　うすい

聞きとり

1〜20 ① ② ③ ④

筆　記

1〜40 ① ② ③ ④

41問～50問は2級のみ解答

41〜50 ① ② ③ ④

K12516T 110kg

ハングル能力検定協会

問　題

聞きとり問題

CD 2

1 選択肢を２回ずつ読みます。表や絵の内容に合うものを①～④の中から１つ選んでください。解答はマークシートの１番と２番にマークしてください。
(空欄はメモをする場合にお使いください)　〈2点×2問〉

CD 3

1）　1

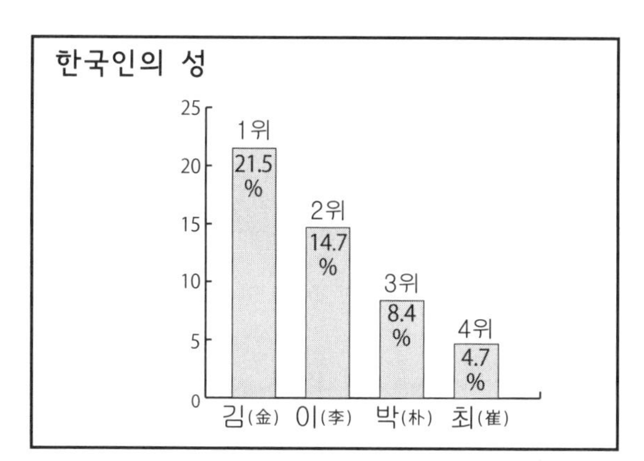

①

②

③

④

CD 4

2）

2

①

②

③

④

問　題

CD 5

2 短い文と選択肢を２回ずつ読みます。文の内容に合うものを①～④の中から１つ選んでください。解答はマークシートの３番～８番にマークしてください。

(空欄はメモをする場合にお使いください)　〈2点×6問〉

CD 6

1）＿＿＿＿＿＿＿＿＿＿＿＿＿＿＿＿＿＿ **3**

①＿＿＿＿　②＿＿＿＿　③＿＿＿＿　④＿＿＿＿

CD 7

2）＿＿＿＿＿＿＿＿＿＿＿＿＿＿＿＿＿＿ **4**

①＿＿＿＿　②＿＿＿＿　③＿＿＿＿　④＿＿＿＿

CD 8

3）＿＿＿＿＿＿＿＿＿＿＿＿＿＿＿＿＿＿ **5**

①＿＿＿＿　②＿＿＿＿　③＿＿＿＿　④＿＿＿＿

問 題

CD 9

4） ____ 6

① ______ ② ______ ③ ______ ④ ______

CD10

5） ____ 7

① ______ ② ______ ③ ______ ④ ______

CD11

6） ____ 8

① ______ ② ______ ③ ______ ④ ______

問　題

CD12

3 短い文を２回読みます。引き続き４つの選択肢も２回ずつ読みます。応答文として適切なものを①～④の中から１つ選んでください。解答はマークシートの９番～12番にマークしてください。

(空欄はメモをする場合にお使いください)　　〈2点×4問〉

CD13

１）-- **9**

①--

②--

③--

④--

CD14

２）-- **10**

①--

②--

③--

④--

問題

CD15

3） -- 11

① --
② --
③ --
④ --

CD16

4） -- 12

① --
② --
③ --
④ --

問　題

CD17

問題文を２回読みます。文の内容と一致するものを①～④の中から１つ選んでください。解答はマークシートの13番～16番にマークしてください。
（空欄はメモをする場合にお使いください）　〈2点×4問〉

CD18

１）　　13

---

① 韓国語講座は市民でなくても受講できる。
② 受講希望者は大学に問い合わせればよい。
③ 韓国語講座は初心者を対象にした教室だ。
④ 韓国語講座は去年の三月に始まった。

問題

CD19

2）　　　14

---

① 動物の写真を撮ってもかまわない。

② おかしなら与えてもかまわない。

③ 動物に与えるえさは有料だ。

④ 動物は触ってもよい。

問　題

CD20

3）　　15

남：

여：

남：

여：

① 二人はのり巻きを全部食べることにした。
② 女性は残ったのり巻きを持ち帰ろうとしている。
③ 注文したのり巻きは足りなかった。
④ 店では食べ物を残してはいけないことになっている。

問題

CD21

4）　16

여：＿＿＿＿＿＿＿＿＿＿＿＿＿＿＿＿

남：＿＿＿＿＿＿＿＿＿＿＿＿＿＿＿＿

여：＿＿＿＿＿＿＿＿＿＿＿＿＿＿＿＿

남：＿＿＿＿＿＿＿＿＿＿＿＿＿＿＿＿

① 二人は今、畑にいる。

② 女性は昔の友達を探したが見つからなかった。

③ ここは今、商店街になっている。

④ 男性は昔のことをなつかしがっている。

問　題

CD22

5 問題文を２回読みます。文の内容と一致するものを①～④の中から１つ選んでください。解答はマークシートの17番～20番にマークしてください。
(空欄はメモをする場合にお使いください)　〈2点×4問〉

CD23

1）　17

① 체조를 하는 곳은 집에서 멀다.
② 체조는 날씨가 안 좋은 날 외에는 한다.
③ 나는 가끔 아플 때가 있다.
④ 체조는 회사 동료들과 한다.

第52回 問題

CD24

2）　　18

① 내일 아침 일찍부터 도로 공사가 있다.
② 내일 점심시간에는 수돗물이 나오지 않는다.
③ 공사 중에도 수돗물이 나오니 걱정할 필요는 없다.
④ 공사는 오전 중에 다 끝난다.

CD25

3）　　　　　　　　　　　　　　　　　　　　　　　**19**

여 : --

남 : --

여 : --

① 남자와 여자의 꿈은 비슷한 데가 있다.

② 남자와 여자는 같이 일하게 됐다.

③ 남자의 꿈과 여자의 꿈은 전혀 다르다.

④ 여자는 졸업하면 바로 취직할 것이다.

問 題

CD26

4）　　　　**20**

남 : --

여 : --

남 : --

여 : --

① 여자는 회사까지 걸어서 다닌다.

② 여자는 차를 살 돈이 없어서 대중교통을 이용한다.

③ 여자는 아주 편하게 출퇴근하고 있다.

④ 여자는 출퇴근할 때 버스, 전철 등을 이용한다.

筆記問題

1 下線部を発音どおり表記したものを①～④の中から１つ選びなさい。
（マークシートの１番～３番を使いなさい）　〈1点×3問〉

1）사람의 심리를 연구하고 있습니다.　1

①［심니를］　②［실리를］　③［신니를］　④［심미를］

2）피곤해서 못 움직이겠다.　2

①［모굼지기겐따］　②［몬눔지기겐따］
③［모둠지기겐따］　④［모숨지기겐따］

3）사건과 사고는 다르다.　3

①［사컨과］　②［사껀과］　③［사껀꽈］　④［사건꽈］

2 (　　)の中に入れるのに適切なものを①～④の中から１つ選びなさい。
(マークシートの４番～９番を使いなさい)　〈1点×6問〉

1) 쓰레기는 함부로 버리지 말고 (**4**)에 버리세요.

① 장갑　② 벌레　③ 휴지통　④ 심부름

2) 중요한 부분에 밑줄을 (**5**) 외우기 쉽다.

① 치르면　② 지면　③ 따면　④ 치면

3) 돌아가신 아버지의 모습이 (**6**) 떠올랐다.

① 도저히　② 문득　③ 일부러　④ 결코

4) A : 무슨 좋은 일이라도 있으세요? (**7**)이 밝으시네요.
B : 네, 아들이 원하는 회사에 취직했거든요.

① 환경　② 성격　③ 표정　④ 희망

5) A：다리가 많이 불편해 보이는데 무슨 일 있었어요?
B：교통사고를 (**8**) 다쳤어요.

① 챙겨서　② 받아서　③ 맡아서　④ 당해서

6) A：12신데 점심 먹으러 갑시다.
B：미안한데 혼자 가세요. 오늘은 왠지 (**9**)
A：어디 아파요? 얼굴색이 안 좋아 보이는데…….

① 눈치가 빨라서요.　② 밥맛이 없어서요.
③ 눈치가 없어서요.　④ 생각이 짧아서요.

第52回 問題

3 （　　）の中に入れるのに適切なものを①～④の中から1つ選びなさい。
（マークシートの10番～14番を使いなさい）　〈1点×5問〉

1）무슨 일（ **10** ）자기가 하고 싶은 것을 하는 사람은 행복하다.

① 이든　② 에게다　③ 이야말로　④ 한테다가

2）노래가（ **11** ）손님들이 모두 일어서서 박수를 쳤다.

① 끝나거나　② 끝나려고
③ 끝나도록　④ 끝나자마자

3）（ **12** ）했어요. 이제 결과를 기다릴 뿐입니다.

① 할 듯이　② 할 뿐만 아니라
③ 할 테니까　④ 할 만큼

4）A：빨리 일어나요!（ **13** ）지각하겠어요.
B：10분만 더요!

① 그러다가도　② 그러다간　③ 그러면서　④ 그러도록

問　題

5）A：날씨가 궁금한데 일기예보 들었어요?
　　B：내일은 오후부터 비가（ 14 ）

① 올 수밖에 없어요.　　② 온다고 해요.
③ 오기로 했어요.　　④ 오는 편이에요.

4 文の意味を変えずに、下線部の言葉と置き換えが可能なものを①～④の中から１つ選びなさい。
(マークシートの15番～18番を使いなさい)　〈2点×4問〉

1）<u>아쉽지만</u> 이제 헤어져야 한다.　**15**

① 섭섭하지만　② 조용하지만
③ 차갑지만　④ 답답하지만

2）내일은 날씨가 <u>풀리겠습니다</u>.　**16**

① 더울 것입니다　② 춥겠습니다
③ 흐릴 것입니다　④ 따뜻해지겠습니다

3）A：그 일은 <u>불가능할</u> 것이라고 생각했는데 결국 해내셨네요.
B：감사합니다. 다 여러분이 도와주신 덕분입니다.　**17**

① 한적이 없는　② 할 뻔한
③ 할 수 없을　④ 해서는 안 될

4）A：사업은 잘되나요?
B：벌써 <u>그만두고</u> 지금은 회사에 다니고 있어요. 【18】

① 손을 떼고　　② 손을 대고
③ 손을 잡고　　④ 손을 쓰고

5 ２つの(　　　)の中に入れることができるものを①～④の中から１つ選びなさい。
(マークシートの19番～21番を使いなさい)　〈1点×3問〉

1）・충격이 너무 커서 (　　　　)을 잃고 쓰러졌다.
・이제 저도 (　　　　) 차리고 열심히 살아 보겠습니다.
19

① 음식　② 정신　③ 의식　④ 마음

2）・(　　　　) 농담은 그만하시지요.
・이 된장국 좀 (　　　　) 것 같은데요.
20

① 쓴　② 짠　③ 재미없는　④ 싱거운

3）・흰머리가 있네요. (　　　　) 드릴까요?
・좋아하는 걸 하나만 (　　　　) 주세요.
21

① 지워　② 안아　③ 골라　④ 뽑아

6

対話文を完成させるのに最も適切なものを①～④の中から1つ選びなさい。
（マークシートの22番～25番を使いなさい）　〈2点×4問〉

1） A：여보세요? 윤 과장님 계신가요?
B：（ 22 ）
A：몇 시쯤에 다시 전화하면 될까요?

① 과장님은 지금 해외 출장 중이신데요.
② 네, 전데요. 누구시죠?
③ 볼일이 있어서 잠깐 나가셨는데요.
④ 네, 바꿔 드리겠습니다.

2） A：따님의 입학시험은 언젭니까?
B：（ 23 ）
A：그래요? 일분일초가 아까운 시기네요.

① 대학에 들어간 지 얼마 되지 않았습니다.
② 이번 주 목요일이에요.
③ 아직 멀었습니다.
④ 붙을지 어떨지 모르겠습니다.

3） A：우리가 처음 만난 게 언제였죠?
　　B：서울에서 올림픽이 열린 해니까 30년이 지났네요.
　　A：（ **24** ）
　　B：세월이 정말 빠르네요.

① 해가 긴데 쉬었다가 가죠.
② 엊그제 같은데 벌써 그렇게 됐어요?
③ 아직 그렇게밖에 안 됐어요?
④ 내일모레니까 서둘러야겠어요.

4） A：미경 씨, 이 꽃 받으십시오.
　　B：고마워요. 정말 예쁘네요.
　　A：（ **25** ）
　　B：비행기 태우지 마세요.

① 꽃도 예쁘지만 미경 씨도 예쁘십니다.
② 이렇게 예쁜 꽃은 지금까지 본 적이 없습니다.
③ 하나 가져가도 되겠습니까?
④ 저는 빨간 꽃을 아주 좋아합니다.

7 下線部の漢字と同じハングルで表記されるものを①～④の中から１つ選びなさい。
（マークシートの26番～28番を使いなさい） 〈1点×3問〉

1）統一 **26**

① 通話 ② 同時 ③ 当日 ④ 東洋

2）位置 **27**

① 以内 ② 意識 ③ 疑問 ④ 危険

3）専攻 **28**

① 実践 ② 伝統 ③ 満点 ④ 正確

8 文章を読んで【問１】～【問２】に答えなさい。
(マークシートの29番～30番を使いなさい)　〈2点×2問〉

시민들의 모임 '바닷바람'에서는 지금 우리 고향의 보물을 찾고 있습니다. 보물이라고 해도 금이나 은을 말하는 것이 아닙니다. (29) 돈도 아닙니다. 우리 고향의 자연, 역사, 전통, 문화야말로 우리 고향의 소중한 보물이지요. 그 보물을 찾아서 사진에 담아 짧은 글과 함께 보내 주십시오. 한 분이 여러 장 보내 주셔도 됩니다. 우리는 그 중에서 좋은 작품을 골라서 책을 만들 계획입니다. 보내 주신 분들께 빠짐없이 그 책을 보내 드리겠습니다. 그럼 많은 사진 기다리겠습니다!

【問１】 (29)に入れるのに最も適切なものを①～④の中から１つ選びなさい。 29

① 왜냐하면　② 그러고 보니까
③ 물론　④ 당장

問　題

【問２】 本文の内容と一致するものを①〜④の中から１つ選びなさい。 30

① 사진이 뽑히지 않은 사람도 책을 받을 수 있다.
② 자연이나 전통 등은 보물에 포함되지 않는다.
③ 사진은 한 사람이 한 장만 보내야 한다.
④ 사진과 함께 보물도 보내야 한다.

9 対話文を読んで【問１】～【問２】に答えなさい。
(マークシートの31番～32番を使いなさい)　〈2点×2問〉

A：이번 주말에 우리 등산 갈까요?
B：네, 그렇지 않아도 가고 싶었어요. 그동안 출장이 많아서 못 갔거든요.
A：저는 직장에서 여유 없이 지내다가 보니까 좀 지쳤어요. 오랜만에 산의 맑은 공기를 가슴 가득히 마시고 싶네요.
B：(**31**)
A：그렇다면 산에서 일박해야 하는데 이번에는 좀 어려울 것 같아요.
B：그럼 해돋이* 구경은 다음 기회로 하죠.
A：우리 내려와서 시원한 막걸리 한잔 해야죠!
B：당연하죠.

*) 해돋이：日の出

問　題

【問１】（ 31 ）に入れるのに最も適切なものを①～④の中から１つ選びなさい。 31

① 저는 해가 지는 것을 꼭 봐야 해요.
② 꽃이 많이 피어 있으면 좋겠어요.
③ 새소리가 들리면 좋겠는데요.
④ 저는 해가 뜨는 모습을 보고 싶어요.

【問２】 対話文の内容と一致するものを①～④の中から１つ選びなさい。 32

① A는 직장인이지만 B는 직장인이 아니다.
② 둘은 등산 후에 막걸리를 마시기로 약속했다.
③ A도 B도 등산을 좋아해서 매주 산에 올라간다.
④ 둘은 산에서 하룻밤 자기로 했다.

10 文章を読んで【問１】～【問２】に答えなさい。
(マークシートの33番～34番を使いなさい)　〈2点×2問〉

나라와 나라가 사이좋게 지내기 위해서는 사람과 사람의 교류가 필요하다. (33) 지금 '규슈올레'에 거는 기대가 크다. '올레'란 원래 제주도 말로 좁은 골목길이라는 뜻인데 지금은 트레킹* 코스라는 뜻으로 사용되고 있다. 제주도에서 시작된 '올레' 코스는 지금 규슈만 해도 이미 스무 개가 넘는다. 일본사람과 한국사람이 함께 걷다가 보면 서로 말은 통하지 않아도 정이 든다. 코스 곳곳에는 휴게소*가 있고 그 지방 요리도 맛볼 수 있다. '규슈올레'는 경치를 즐기는 단순한 트레킹 코스가 아니라 '국제 교류의 길'이기도 하다.

*) 트레킹：トレッキング、휴게소：休憩所

【問１】 (33)に入れるのに適切なものを①～④の中から１つ選びなさい。 33

① 그런 뜻에서
② 그렇지만
③ 그렇다고 해서
④ 그와 동시에

【問２】 本文の内容と一致するものを①～④の中から１つ選びなさい。 34

① '규슈올레'는 트레킹을 좋아하는 일본사람을 위한 코스다.
② 국제 교류를 위해서는 상대방의 말을 배우는 것이 최고다.
③ '규슈올레'를 걸으면 일본의 음식 문화도 즐길 수 있다.
④ 상대방과 정이 들기 위해서는 말이 통해야 한다.

問　題

11 下線部の日本語訳として適切なものを①～④の中から１つ選びなさい。
(マークシートの35番～37番を使いなさい)　〈2点×3問〉

1）눈치 보지 말고 하고 싶은 대로 해요.　35

① ごまかさないで
② 顔色をうかがわないで
③ お世辞を言わないで
④ よそ見をしないで

2）동생이 학교에 지각하는 것은 어제오늘 일이 아니에요.　36

① いつものことです。
② なかなかないことです。
③ おとといのことです。
④ もう昔のことです。

問　題

3）그렇게 착한 아이는 요새 보기 드물어요. 　37

① 時々見かけます。

② よく見るようになりました。

③ 会うのが楽しみです。

④ めったにいません。

12

下線部の訳として適切なものを①～④の中から１つ選びなさい。
(マークシートの38番～40番を使いなさい)　〈2点×3問〉

1）もう60歳ですよ、<u>若いなんてとんでもない。</u>　38

① 젊기는요.　② 젊으냐고요.
③ 젊다고 할 리가 없어요.　④ 젊다고 할 수 있죠.

2）味は期待していなかったが<u>なかなかだった。</u>　39

① 입을 모았다.　② 생각대로였다.
③ 긴말이 필요없었다.　④ 제법이었다.

3）今日面接を受けた会社、<u>脈がなさそうです。</u>　40

① 버릇이 없었어요.　② 마음이 떠났어요.
③ 느낌이 좋지 않았어요.　④ 앞뒤가 안 맞았어요.

解　答　（＊白ヌキ数字が正答番号）

聞きとり 問題と解答

これから３級の聞きとりテストを行います。選択肢①～④の中から解答を１つ選び、マークシートの指定された欄にマークしてください。どの問題もメモをする場合は問題冊子の空欄にしてください。マークシートにメモをしてはいけません。

1　４つの選択肢を２回ずつ読みます。表や絵の内容に合うものを①～④の中から１つ選んでください。解答はマークシートの１番と２番にマークしてください。次の問題に移るまでの時間は30秒です。では始めます。

1）　1

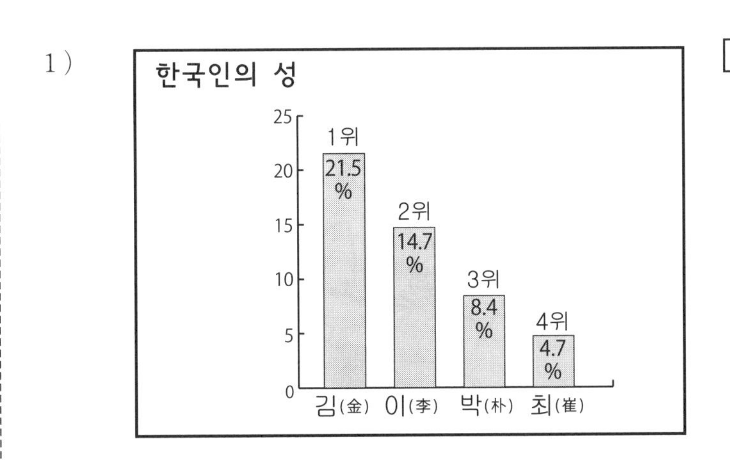

① 박 씨가 최 씨보다 네 배 이상 많다.

→ パク(朴)氏がチェ(崔)氏より４倍以上多い。

② 한국인의 반 이상이 김 씨이다.

→ 韓国人の半分以上がキム(金)氏だ。

③ 이 씨와 최 씨의 수는 거의 같다.

→ イ(李)氏とチェ(崔)氏の数はほぼ同じだ。

❹ 한국인의 약 다섯 명 중 한 명은 김 씨이다.

→ 韓国人の約５人のうち一人はキム(金)氏だ。

Point グラフをよく見よう。まず、韓国人の姓は多いほうから金、李、朴、崔の順。次に占める割合を見ると、21.5%、14.7%、8.4%、4.7%の順。①の朴氏が崔氏の4倍以上というのは明らかに誤答。②の金氏が韓国人の半分以上というのも誤答。そんなに多くはない。③の李氏と崔氏の数がほぼ同じというのも、李氏のほうが3倍以上も多いので誤答。残りは④だけだが、金氏は21.5%なので約5人に一人。これが正答。

2）

2

① 남자와 여자는 악수를 나누고 있다.

→ 男性と女性は握手を交わしている。

解　答

② 여자는 남자한테 수박을 주고 있다.
→ 女性は男性にスイカを渡している。

③ 남자는 포도주를 한 병 산 것 같다.
→ 男性はぶどう酒を一本買ったようだ。

❹ 여자는 남자에게 거스름돈을 주고 있다.
→ 女性は男性にお釣りを渡している。

2 短い文と選択肢を２回ずつ読みます。文の内容に合うものを①～④の中から１つ選んでください。解答はマークシートの３番～８番にマークしてください。次の問題に移るまでの時間は20秒です。では始めます。

1）두 사람 이상이 서로 주고받으며 하는 이야기입니다.　**3**
→ 二人以上の人が互いに交わし合いながらする話です。

① 소문 → 噂　　② 소식 → 消息
③ 비판 → 批判　　❹ 대화 → 対話

2）이것이 없으면 냉장고도 청소기도 쓸 수 없습니다.　**4**
→ これがなければ冷蔵庫も掃除機も使うことができません。

① 무기 → 武器　　② 동기 → 動機
❸ 전기 → 電気　　④ 용기 → 勇気

3）술에 많이 취하면 여기가 안 돌아가는 사람도 있습니다.
→ 酒にひどく酔うと、ここが回らなくなる人もいます。 **5**

① 손목 → 手首　② 눈꺼풀 → まぶた
③ 심장 → 心臓　❹ 혀 → 舌

Point 慣用句の問題。술에 취하다「酒に酔う」がキーワード。これが聞き取れないと答えられない。動詞돌아가다には「帰る、戻る」以外に「回る」という意味がある。酒に酔ったときに回らなくなるのは④の舌。

4）혼자 학습하는 것을 말합니다. **6**
→ 一人で学習することを言います。

① 전공 → 専攻　❷ 독학 → 独学
③ 과목 → 科目　④ 교육 → 教育

5）이것을 걸고 싸운다는 표현이 있습니다. **7**
→ これをかけて戦うという表現があります。

① 길 → 道　❷ 목숨 → 命
③ 숨 → 息　④ 코 → 鼻

Point 慣用句の問題。動詞걸다「かける」は전화를 걸다「電話をかける」、말을 걸다「話をかける」以外に「(命を)かける」などというときにも使われる。命は「목숨」。よって正答は②。

解　答

6）해가 뜰 무렵을 가리키는 말입니다. **8**

→ 日が昇る頃を指す言葉です。

❶ 새벽　→ 暁、明け方　② 밤새　→ 夜の間

③ 밤낮　→ 昼夜　④ 불빛　→ 明かり

Point 動詞뜨다には「浮かぶ、昇る」などの意味がある。해가 뜨다は「日が昇る」。무렵は「頃、時分」。日が昇る頃は暁なので正答は①새벽。

3 短い文を2回読みます。引き続き4つの選択肢も2回ずつ読みます。応答文として適切なものを①～④の中から1つ選んでください。解答はマークシートの9番～12番にマークしてください。次の問題に移るまでの時間は20秒です。では始めます。

1）오랜만에 온천에서 목욕하니까 어땠어요? **9**

→ 久しぶりに温泉に入っていかがでしたか？

① 생각보다 잘생겨서 마음에 들어요.

→ 思っていたよりハンサムで気に入りました。

❷ 아주 시원하고 좋았어요.

→ とてもさっぱりしてよかったです。

③ 무척 부지런히 일했어요.

→ 大変勤勉に働きました。

④ 뜨거운 박수 고맙습니다.

→ 熱い拍手をありがとうございます。

2）죄송합니다. 한 번만 눈감아 주세요. **10**

→ 申し訳ありません。一度だけ見逃してください。

① 네, 같이 보도록 하지요.

→ はい、一緒に見ることにしましょう。

② 도대체 뭘 봤다는 거예요?

→ 一体何を見たというのですか？

❸ 그럼 이번 한번만 봐 줄게요.

→ じゃあ今回だけは大目に見ましょう。

④ 두 번 보면 안 돼요?

→ 二回見てはだめですか？

3）테니스 할 줄 아세요? **11**

→ テニスできますか？

① 테니스 코트라면 저기 있는데요.

→ テニスコートならあそこにありますけど。

② 여기서 테니스하면 안 돼요.

→ ここでテニスをしてはいけません。

③ 저는 어디 있는지 알아요.

→ 私はどこにあるか知っています。

解 答

❹ 테니스는 못하지만 탁구라면 좀 해요.

→ テニスはできませんが、卓球なら少しはやります。

4）이 볶음밥 좀 짜지 않아요? 12

→ このチャーハン、ちょっとしょっぱくないですか？

① 그럼, 소금을 넣어 보세요.

→ じゃあ塩を入れてみてください。

② 아뇨, 보통 늦게 잡니다.

→ いいえ、普通遅く寝ます。

③ 네, 잘 볶았어요.

→ はい、よく炒めました。

❹ 저는 딱 좋은데요.

→ 私はちょうどいいですけど。

Point 形容詞짜다「塩辛い、しょっぱい」が聞き取れれば簡単に解ける問題。짜다は会話などで「ケチだ」という意味でもよく使われる。副詞딱は「ちょうど、ぴったり」という意味。それ以外にも「きっぱりと、ぴたっと」などの意味がある。

4 問題文を２回読みます。文の内容と一致するものを①～④の中から１つ選んでください。解答はマークシートの13番～16番にマークしてください。次の問題に移るまでの時間は30秒です。では始めます。

1） 13

오는 4월부터 시민 센터에서 한국어 강좌가 열립니다. 한국어를 처음 배우는 시민이면 누구나 참가할 수 있습니다. 관심이 있는 분은 시청까지 연락해 주시기 바랍니다.

【日本語訳】

来る４月から市民センターで韓国語講座が開かれます。韓国語を初めて学ぶ市民ならどなたでも参加できます。関心のある方は市役所までご連絡ください。

① 韓国語講座は市民でなくても受講できる。
② 受講希望者は大学に問い合わせればよい。
❸ 韓国語講座は初心者を対象にした教室だ。
④ 韓国語講座は去年の三月に始まった。

2） 14

오늘은 저희 동물원을 찾아 주셔서 감사합니다. 여러분께 부

解　答

탁 말씀 드립니다. 동물을 만지거나 놀라게 하거나 하지 마십시오. 음식도 주면 안 됩니다. 사진은 찍으셔도 됩니다. 그럼 즐거운 시간 되시기 바랍니다.

【日本語訳】

本日は私どもの動物園にお越しいただきありがとうございます。皆様にお願いがございます。動物に触ったり驚かせたりしないでください。食べ物も与えないでください。写真は撮ってもかまいません。それでは楽しい時間をお過ごしください。

❶ 動物の写真を撮ってもかまわない。
② おかしなら与えてもかまわない。
③ 動物に与えるえさは有料だ。
④ 動物は触ってもよい。

3）　15

남 : 배가 불러서 더 이상 못 먹겠어요.
여 : 저도요. 우리 김밥 너무 많이 시킨 것 같아요.
남 : 어떻게 하지요? 그냥 남길 수도 없고.
여 : 그럼 싸 달라고 부탁하지요.

【日本語訳】

男 : お腹がいっぱいでもうこれ以上食べられません。

女：私もです。私たちのり巻き頼みすぎたみたいですね。
男：どうしましょうか。残すわけにもいかないし。
女：じゃあ、包んでくれるようお願いしましょう。

① 二人はのり巻きを全部食べることにした。
❷ 女性は残ったのり巻きを持ち帰ろうとしている。
③ 注文したのり巻きは足りなかった。
④ 店では食べ物を残してはいけないことになっている。

4） 16

여：와, 많이 변했군요. 우리가 어릴 적만 해도 다 밭이었는데.
남：그래요. 여기서 하루 종일 뛰어놀았잖아요.
여：지금은 공장이 생겨서 옛날 모습을 찾으려고 해도 찾을 수 가 없네요.
남：그때가 생각나네요.

【日本語訳】
女：わあ、ずいぶん変わりましたね。私たちが小さい頃は全部畑だったのに。
男：そうですよ。ここで一日中跳びまわって遊んだじゃないですか。
女：今は工場ができて昔の面影を探そうにも探せませんね。
男：あの頃がなつかしいですね。

解　答

① 二人は今、畑にいる。
② 女性は昔の友達を探したが見つからなかった。
③ ここは今、商店街になっている。
❹ 男性は昔のことをなつかしがっている。

5 問題文を２回読みます。文の内容と一致するものを①～④の中から１つ選んでください。解答はマークシートの17番～20番にマークしてください。次の問題に移るまでの時間は30秒です。では始めます。

１）　　**17**

나의 아침은 체조와 함께 시작됩니다. 체조는 집 앞 공원에서 동네 사람들과 같이 합니다. 물론 비나 눈이 내리면 하지 않지만요. 그래서인지 지금까지 감기에 단 한 번도 걸린 적이 없습니다. 나는 앞으로도 체조를 계속할 것입니다.

【日本語訳】

私の朝は体操とともに始まります。体操は家の前の公園で町内の人たちと一緒にやります。勿論、雨や雪が降ったらやりませんけどね。だからなのか、これまでただの一度もかぜをひいたことがありません。私はこれからも体操を続けるつもりです。

① 체조를 하는 곳은 집에서 멀다.

→ 体操をする場所は家から遠い。

❷ 체조는 날씨가 안 좋은 날 외에는 한다.

→ 体操は天気が悪い日以外はやる。

③ 나는 가끔 아플 때가 있다.

→ 私は時々体の具合が悪いときがある。

④ 체조는 회사 동료들과 한다.

→ 体操は会社の同僚たちと(一緒に)やる。

Point 本文の中で、体操は家の前の公園でやっていると言っているので①は誤答。雨や雪が降ったときはやらないと言っているので②が正答。③は、ただの一度もかぜをひいたことがないと言っているので誤答。④は、体操は町内の人たちと一緒にやっていると言っているので誤答。

2） 18

주민 여러분께 알려 드립니다. 내일 아침 10시부터 오후 5시까지 수도 공사가 있습니다. 그 동안 물이 안 나오니 미리 물을 받아 두시기 바랍니다. 감사합니다.

【日本語訳】

住民の皆さんにお知らせします。明日朝10時から午後５時まで水道の工事があります。その間は水が出ませんので前もって水を貯めておいてください。よろしくお願いします。

解　答

① 내일 아침일찍부터 도로 공사가 있다.

→ 明日の朝早くから道路工事がある。

❷ 내일 점심시간에는 수돗물이 나오지 않는다.

→ 明日の昼食時間には水道の水が出ない。

③ 공사 중에도 수돗물이 나오니 걱정할 필요는 없다.

→ 工事中でも水道の水は出るので心配することはない。

④ 공사는 오전 중에 다 끝난다.

→ 工事は午前中に全部終わる。

Point キーポイントは、明日午前10時から午後５時まで水道工事があるということと、その間水が出ないということ。それを念頭において問題を解く。工事は朝早くからではないので①は誤答。工事は昼食時間中も続くので②は正答。工事中は水が出ないので③は誤答。工事は午後５時に終わるので④は誤答。

３）　　19

여：얼마 안 있으면 졸업인데요, 동호 씨는 졸업하면 뭐 할 거예요?

남：아버님이 초밥집을 하시는데요, 아버님을 도와 드리면서 일을 배울 생각입니다. 제 꿈은 외국분들도 많이 찾는 가게를 만드는 겁니다. 은하 씨는요?

여：저는 요리를 배우러 파리로 갈 거예요. 제 꿈은 프랑스 레스토랑을 여는 거거든요.

第52回 解答

【日本語訳】

女：もうすぐ卒業だけどトンホさんは卒業したら何をするつもりですか？

男：父が寿司屋をやっているんですが、父の手伝いをしながら仕事を習おうと思っています。私の夢は外国の方たちもたくさん来てくれるお店をやることなんです。ウナさんは？

女：私は料理の勉強をしにパリに行くつもりです。私の夢はフランス料理のレストランを開くことなんですよ。

❶ 남자와 여자의 꿈은 비슷한 데가 있다.
→ 男性と女性の夢は似ているところがある。

② 남자와 여자는 같이 일하게 됐다.
→ 男性と女性は一緒に仕事をすることになった。

③ 남자의 꿈과 여자의 꿈은 전혀 다르다.
→ 男性の夢と女性の夢は全く異なる。

④ 여자는 졸업하면 바로 취직할 것이다.
→ 女性は卒業したらすぐ就職するだろう。

Point 男性も女性も将来、料理に関係する職業に携わりたいと思っている。夢は似ているところがあるので①は正答。男性と女性は一緒に仕事はしないので②は誤答。男性と女性の夢は異なる部分はあるが、料理という共通点があり、全く異なるとは言えないので③は誤答。女性は卒業後パリで料理の勉強をするつもりなので④も誤答。

解 答

4） 20

남：차로 출퇴근하시나요?
여：아뇨, 저는 대중교통을 이용해요.
남：불편하지 않아요?
여：좀 불편하기는 하지만 회사에 차 세울 데가 없거든요.

【日本語訳】
男：車で通勤しているんですか？
女：いいえ、私は公共交通機関を利用しています。
男：不便ではないですか？
女：少し不便ではありますが、会社に車を停めるところがないんですよ。

① 여자는 회사까지 걸어서 다닌다.
→ 女性は会社まで歩いて通っている。
② 여자는 차를 살 돈이 없어서 대중교통을 이용한다.
→ 女性は車を買うお金がなくて公共交通機関を利用している。
③ 여자는 아주 편하게 출퇴근하고 있다.
→ 女性はとても楽に通勤している。
❹ 여자는 출퇴근할 때 버스, 전철 등을 이용한다.
→ 女性は通勤のときにバスや電車などを利用している。

Point キーワードは대중교통「大衆交通」。「大衆交通」とは電車、バス、地下鉄などの公共交通機関のこと。女性は会社まで公共交通機関を

使っているので①は誤答。女性が公共交通機関を使っているのは会社に駐車場がないためなので②も誤答。차 세우다(-를は省略)で「車をとめる」という意味。세울は未来連体形で、後ろの데「ところ」にかかり、全体で「車をとめるところ」となる。女性は、少し不便ではあると言っていて、とても楽には通勤していないので③も誤答。女性はバスや電車などの公共交通機関を利用しているので④が正答。

解　答　（＊白ヌキ数字が正答番号）

筆記 問題と解答

1 下線部を発音どおり表記したものを①～④の中から１つ選びなさい。

1）사람의 심리를 연구하고 있습니다. 【1】
→ 人の心理を研究しています。

❶［심니를］　②［실리를］　③［신니를］　④［심미를］

2）피곤해서 못 움직이겠다. 【2】
→ 疲れて動けない。

①［모굼지기겓따］　②［몬눔지기겓따］
❸［모둠지기겓따］　④［모숨지기겓따］

3）사건과 사고는 다르다. 【3】
→ 事件と事故は違う。

①［사컨과］　❷［사껀과］　③［사껀꽈］　④［사건꽈］

Point 사건「事件」は後ろの文字건が濃音化して[사껀]と発音される。同様に조건「条件」、여권「旅券」、내과「内科」、외과「外科」なども濃音化が起きてそれぞれ[조껀]、[여꿘]、[내꽈]、[외꽈]と発音されるので注意が必要。

第52回 解答

2 (　　)の中に入れるのに適切なものを①～④の中から１つ選びなさい。

1) 쓰레기는 함부로 버리지 말고 (4)에 버리세요.
→ ごみはむやみに捨てないで(4)に捨ててください。

① 장갑 → 手袋　② 벌레 → 虫
❸ 휴지통 → ごみ箱　④ 심부름 → お使い

2) 중요한 부분에 밑줄을 (5) 외우기 쉽다.
→ 重要な部分にアンダーラインを(5)覚えやすい。

① 치르면 → 支払うと　② 지면 → 背負うと
③ 따면 → 摘むと　❹ 치면 → 引くと

Point 動詞치다には「打つ、叩く」以外にいろんな意味がある。「(アンダーラインを)引く」も、動詞치다が使われる。また、「(醤油や塩や酢などを)振りかける」にも치다を使う。

3) 돌아가신 아버지의 모습이 (6) 떠올랐다.
→ 亡くなった父の姿が(6)頭に浮かんだ。

① 도저히 → 到底　❷ 문득 → ふと
③ 일부러 → わざわざ　④ 결코 → 決して

Point 副詞を選ぶ問題。副詞を覚えるときは動詞と一緒に文章にして覚えると、覚えやすい。例えば、문득 떠 올랐다「ふと頭に浮かんだ」、문

解　答

득 생각이 났다「ふと思い出した」、도저히 믿을 수 없다「到底信じられない」、일부러 와 주셔서 고마워요「わざわざ来てくれてありがとう」、결코 잊지 않아요「決して忘れません」などのように。

4）A：무슨 좋은 일이라도 있으세요? （ 7 ）이 밝으시네요.
B：네, 아들이 원하는 회사에 취직했거든요.
→ A：何か良いことでもあるんですか？（ 7 ）が明るいですね。
B：はい、息子が希望する会社に就職したのです。

① 환경 → 環境　② 성격 → 性格
❸ 표정 → 表情　④ 희망 → 希望

5）A：다리가 많이 불편해 보이는데 무슨 일 있었어요?
B：교통사고를 （ 8 ） 다쳤어요.
→ A：足がずいぶん不自由なようですが何かあったのですか？
B：交通事故に（ 8 ）けがをしたのです。

① 챙겨서 → 取りそろえて　② 받아서 → 受けて
③ 맡아서 → 引き受けて　❹ 당해서 → あって

Point 交通事故など、よくないことを被ったときには動詞당하다が使われる。거절당하다は「拒絶にあう」つまり「拒絶される」。방해당하다は「妨害にあう」つまり「妨害される」。

6）A：12신데 점심 먹으러 갑시다.
B：미안한데 혼자 가세요. 오늘은 왠지 （ 9 ）

A：어디 아파요? 얼굴색이 안 좋아 보이는데…….

→ A：12時ですが、昼ご飯食べに行きましょう。
B：すみませんが、一人で行ってもらえますか。今日はどういうわけか（ 9 ）
A：どこか具合が悪いのですか？　顔色が悪いようですが…。

① 눈치가 빨라서요.　→ 勘がよくて。
❷ 밥맛이 없어서요.　→ 食欲がなくて。
③ 눈치가 없어서요.　→ 勘が鈍くて。
④ 생각이 짧아서요.　→ 考えが至らなくて。

3 （　　）の中に入れるのに適切なものを①～④の中から１つ選びなさい。

1）무슨 일（ 10 ）자기가 하고 싶은 것을 하는 사람은 행복하다.
→ 何事（ 10 ）自分がしたいことをしている人は幸せだ。

❶ 이든　→ ～であろうと　② 에게다　→ ～に
③ 이야말로　→ ～こそ　④ 한테다가　→ ～に

2）노래가（ 11 ）손님들이 모두 일어서서 박수를 쳤다.
→ 歌が（ 11 ）客たちはみんな立ち上がって拍手を送った。

解　答

① 끝나거나　→ 終ったり
② 끝나려고　→ 終ろうとして
③ 끝나도록　→ 終わるように
❹ 끝나자마자　→ 終わるやいなや

3）（ 12 ）했어요. 이제 결과를 기다릴 뿐입니다.
→（ 12 ）やりました。あとは結果を待つばかりです。

① 할 듯이　→ やるように
② 할 뿐만 아니라　→ やるのみならず
③ 할 테니까　→ やるので
❹ 할 만큼　→ やるだけ

4）A：빨리 일어나요！（ 13 ）지각하겠어요.
B：10분만 더요！
→ A：早く起きなさい！（ 13 ）遅刻しますよ。
B：もう10分だけ！

① 그러다가도　→ そうしていても
❷ 그러다간　→ そんなことをしていては
③ 그러면서　→ そうしながら
④ 그러도록　→ そうなるように

Point 語尾を問う問題。-다간は「～していては」という意味の語尾 -다가는の縮約形。「そんなことをしていては遅刻しますよ」のように、語尾 -다간の後には一般的に好ましくないこと、よくない内容が続く。

例:뛰지 말고 천천히 걸어요! 그러다간 넘어지겠어요.「走らないでゆっくり歩きなさい。そんなことしていると転んでしまいますよ。」

5）A：날씨가 궁금한데 일기예보 들었어요?
B：내일은 오후부터 비가（ 14 ）
→ A：天気が気になりますが、天気予報聞きましたか？
B：明日は午後から雨が（ 14 ）

① 올 수밖에 없어요. → 降るしかありません。
❷ 온다고 해요. → 降るそうです。
③ 오기로 했어요. → 降ることにしました。
④ 오는 편이에요. → 降るほうです。

4 文の意味を変えずに、下線部の言葉と置き換えが可能なものを①～④の中から１つ選びなさい。

1）<u>아쉽지만</u> 이제 헤어져야 한다. 15
→ <u>心残りだが</u>、もう別れなければならない。

❶ 섭섭하지만 → 名残惜しいが
② 조용하지만 → 静かだが
③ 차갑지만 → 冷たいが
④ 답답하지만 → もどかしいが

解 答

2）내일은 날씨가 풀리겠습니다. 16

→ 明日は天気(寒さ)が和らぐでしょう。

① 더울 것입니다 → 暑いでしょう
② 춥겠습니다 → 寒いでしょう
③ 흐릴 것입니다 → 曇るでしょう
❹ 따뜻해지겠습니다 → 暖かくなるでしょう

Point 動詞풀리다は「ほどける・解ける」という意味で使われることが多いが、날씨가 풀리다で慣用的に「寒さが和らぐ」という意味で使われる。天気予報などによく出てくる言葉なので覚えておきたい。

3）A：그 일은 불가능할 것이라고 생각했는데 결국 해내셨네요.
B：감사합니다. 다 여러분이 도와주신 덕분입니다. 17

→ A：それは不可能だろうと思っていたのですが、結局成し遂げましたね。
B：ありがとうございます。すべて皆さんが助けてくださったおかげです。

① 한적이 없는 → やったことがない
② 할 뻔한 → するところだった
❸ 할 수 없을 → できないだろう
④ 해서는 안 될 → してはいけない

4）A：사업은 잘되나요?
B：벌써 그만두고 지금은 회사에 다니고 있어요. 18

→ A：事業はうまくいっていますか?
B：もうやめて、今は会社に通っています。

❶ 손을 떼고 → 手を引いて ② 손을 대고 → 手を当てて
③ 손을 잡고 → 手をつかんで ④ 손을 쓰고 → 手を回して

Point 손のつく慣用句の問題。손을 떼다は直訳すると「手を離す」だが、仕事などから手を引く、つまりその仕事などをやめるという意味の慣用句として使われる。

5 2つの(　　)の中に入れることができるものを①～④の中から1つ選びなさい。

1）・충격이 너무 커서 (정신)을 잃고 쓰러졌다.
→ あまりに衝撃が大きくて(気)を失って倒れた。
・이제 저도 (정신) 차리고 열심히 살아 보겠습니다. **19**
→ これからは私も(気)を引き締めて一所懸命生きていきます。

① 음식 → 食べ物 ❷ 정신 → 気、精神
③ 의식 → 意識 ④ 마음 → 心

2）・(싱거운) 농담은 그만하시지요.
→ (つまらない)冗談はよしてください。
・이 된장국 좀 (싱거운) 것 같은데요. **20**
→ このみそ汁ちょっと(薄い)ようですが。

解 答

① 쓴 → 苦い

② 짠 → しょっぱい

③ 재미없는 → 面白くない

❹ 싱거운 → つまらない；(味が)薄い

Point 四つの単語の中で両方とも入るのは④の싱거운だけ。原形は싱겁다で、「(料理の味が)薄い」という意味のほかに、「(冗談などが)つまらない」という意味もある。日常会話などでもよく使われる形容詞なので覚えておきたい。

3）・흰머리가 있네요. (뽑아) 드릴까요?

→ 白髪がありますね。(抜いて)あげましょうか？

・좋아하는 걸 하나만 (뽑아) 주세요. 21

→ 好きなのを一つだけ(選んで)ください。

① 지워 → 消して ② 안아 → 抱いて

③ 골라 → 選んで ❹ 뽑아 → 抜いて；選んで

Point 動詞고르다と뽑다は、共に「選ぶ」という意味で使われるが、뽑다には「選ぶ」以外に「抜く」という意味がある。両方の( )に入るのは뽑다だけで正解は④。

6 対話文を完成させるのに最も適切なものを①～④の中から1つ選びなさい。

1）A：여보세요? 윤 과장님 계신가요?
B：(22)
A：몇 시쯤에 다시 전화하면 될까요?
→ A：もしもし。ユン課長いらっしゃいますか?
B：(22)
A：何時頃にまたお電話すればよろしいですか?

① 과장님은 지금 해외 출장 중이신데요.
→ 課長は今、海外出張中ですが。
② 네, 전데요. 누구시죠?
→ はい、私ですが。どちら様でしょうか?
❸ 볼일이 있어서 잠깐 나가셨는데요.
→ 用事があってちょっと出かけていますが。
④ 네, 바꿔 드리겠습니다.
→ はい、代わります。

2）A：따님의 입학시험은 언젭니까?
B：(23)
A：그래요? 일분일초가 아까운 시기네요.
→ A：お嬢さんの入学試験はいつですか?
B：(23)
A：そうですか。一分一秒が惜しい時期ですね。

解 答

① 대학에 들어간 지 얼마 되지 않았습니다.

→ 大学に入ってまだあまり日がたっていません。

❷ 이번 주 목요일이에요.

→ 今週の木曜日です。

③ 아직 멀었습니다.

→ まだまだです。

④ 붙을지 어떨지 모르겠습니다.

→ 合格するかどうかわかりません。

3) A：우리가 처음 만난 게 언제였죠?

B：서울에서 올림픽이 열린 해니까 30년이 지났네요.

A：(**24**)

B：세월이 정말 빠르네요.

→ A：私たちが初めて会ったのはいつでしたっけ？

B：ソウルでオリンピックが開かれた年ですから、30年が過ぎましたね。

A：(**24**)

B：歳月が過ぎるのは本当に早いですね。

① 해가 긴데 쉬었다가 가죠.

→ 日も長いので一休みしてから行きましょう。

❷ 엊그제 같은데 벌써 그렇게 됐어요?

→ ついこの間のようですが、もうそんなになりましたか？

③ 아직 그렇게밖에 안 됐어요?

→ まだそれくらいにしかならないのですか？

④ 내일모레니까 서둘러야겠어요.

→ あさってですから、急がなければなりません。

4）A：미경 씨, 이 꽃 받으십시오.

B：고마워요. 정말 예쁘네요.

A：（ 25 ）

B：비행기 태우지 마세요.

→ A：ミギョンさん、この花をどうぞ。
B：ありがとうございます、本当にきれいですね。
A：（ 25 ）
B：おだてないでください。

❶ 꽃도 예쁘지만 미경 씨도 예쁘십니다.

→ 花もきれいですが、ミギョンさんもおきれいです。

② 이렇게 예쁜 꽃은 지금까지 본 적이 없습니다.

→ こんなにきれいな花は、これまで見たことがありません。

③ 하나 가져가도 되겠습니까?

→ 一つ持って行ってもいいですか？

④ 저는 빨간 꽃을 아주 좋아합니다.

→ 私は赤い花が大好きです。

Point キーワードは비행기 태우지 마세요. 비행기 태우다は「おだてる」という意味の慣用句。①から④の中でおだてるような内容の受け答えは①だけ。

解　答

7 下線部の漢字と同じハングルで表記されるものを①～④の中から１つ選びなさい。

1）統一　→ 통일　　**26**

❶ 通話 → 통화　　② 同時 → 동시
③ 当日 → 당일　　④ 東洋 → 동양

2）位置　→ 위치　　**27**

① 以内 → 이내　　② 意識 → 의식
③ 疑問 → 의문　　❹ 危険 → 위험

3）専攻　→ 전공　　**28**

① 実践 → 실천　　❷ 伝統 → 전통
③ 満点 → 만점　　④ 正確 → 정확

Point ①の천は初声が激音なので誤答。②は正答。③はㅁパッチムなので誤答。④はㅇパッチムで誤答。いずれもよく使われる漢字語だが、発音をあいまいに覚えていると答えられない。正確に覚えておきたい。

8 文章を読んで【問１】～【問２】に答えなさい。

시민들의 모임 '바닷바람'에서는 지금 우리 고향의 보물을 찾고 있습니다. 보물이라고 해도 금이나 은을 말하는 것이 아닙니다. (29) 돈도 아닙니다. 우리 고향의 자연, 역사, 전통, 문화야말로 우리 고향의 소중한 보물이지요. 그 보물을 찾아서 사진에 담아 짧은 글과 함께 보내 주십시오. 한 분이 여러 장 보내 주셔도 됩니다. 우리는 그 중에서 좋은 작품을 골라서 책을 만들 계획입니다. 보내 주신 분들께 빠짐없이 그 책을 보내 드리겠습니다. 그럼 많은 사진 기다리겠습니다!

[日本語訳]

市民たちの集まり'海風'では今、わが故郷の宝物を探しています。宝物といっても金や銀のことではありません。(29)お金でもありません。わが故郷の自然、歴史、伝統、文化こそが、わが故郷の大切な宝物です。その宝物を探して写真に撮り、短い文章と一緒に送ってください。一人の方が何枚送ってくださっても構いません。私たちはその中からいい作品を選んで本を作る計画です。送ってくださった方にはもれなくその本を差し上げます。それでは、たくさんの写真をお待ちしています！

解 答

【問１】（ 29 ）に入れるのに最も適切なものを①〜④の中から１つ選びなさい。 29

① 왜냐하면 → なぜなら
② 그러고 보니까 → そういえば
❸ 물론 → もちろん
④ 당장 → すぐに

【問２】本文の内容と一致するものを①〜④の中から１つ選びなさい。 30

❶ 사진이 뽑히지 않은 사람도 책을 받을 수 있다.
→ 写真が選ばれなかった人も本をもらうことができる。
② 자연이나 전통 등은 보물에 포함되지 않는다.
→ 自然や伝統などは宝物に含まれない。
③ 사진은 한 사람이 한 장만 보내야 한다.
→ 写真は一人一枚しか送れない。
④ 사진과 함께 보물도 보내야 한다.
→ 写真と一緒に宝物も送らなければならない。

Point 「写真を送ってくださった方にはもれなく本を差し上げる」と言っているので①は正答。「自然、歴史、伝統、文化こそが宝物と」言っているので②は誤答。「写真は一人の方が何枚送ってくださっても構わない」と言っているので③は誤答。「宝物を写真に撮り送ってください」と言っているので④は誤答。

9 対話文を読んで【問１】~【問２】に答えなさい。

A：이번 주말에 우리 등산 갈까요?
B：네, 그렇지 않아도 가고 싶었어요. 그동안 출장이 많아서 못 갔거든요.
A：저는 직장에서 여유 없이 지내다가 보니까 좀 지쳤어요. 오랜만에 산의 맑은 공기를 가슴 가득히 마시고 싶네요.
B：(**31**)
A：그렇다면 산에서 일박해야 하는데 이번에는 좀 어려울 것 같아요.
B：그럼 해돋이* 구경은 다음 기회로 하죠.
A：우리 내려와서 시원한 막걸리 한잔 해야죠!
B：당연하죠.

*) 해돋이：日の出

[日本語訳]

A：今度の週末、山登りに行きませんか?
B：いいですね、そうでなくても行きたかったんですよ。この間、出張が多くて山に行けなかったもので。
A：私も職場であわただしく過ごして少々疲れました。久しぶりに山の澄んだ空気を胸いっぱい吸いたいです。
B：(**31**)
A：それなら山に一泊しなければなりませんが、今回はちょっと

解　答

　　無理かもしれませんね。
B：じゃあ日の出を見るのは次の機会にしましょう。
A：山から下りたら冷たいマッコリを一杯やりましょう。
B：もちろんです。

【問１】（ 31 ）に入れるのに最も適切なものを①～④の中から１つ選びなさい。 31

① 저는 해가 지는 것을 꼭 봐야 해요.
→ 私は日が沈むのをぜひ見なければなりません。

② 꽃이 많이 피어 있으면 좋겠어요.
→ 花がいっぱい咲いているといいですね。

③ 새소리가 들리면 좋겠는데요.
→ 鳥の声が聞こえるといいですね。

❹ 저는 해가 뜨는 모습을 보고 싶어요.
→ 私は日が昇る様子を見てみたいです。

【問２】 対話文の内容と一致するものを①～④の中から１つ選びなさい。 32

① A는 직장인이지만 B는 직장인이 아니다.
→ Aは勤め人だがBは勤め人ではない。

❷ 둘은 등산 후에 막걸리를 마시기로 약속했다.
→ 二人は登山後にマッコリを飲む約束をした。

③ A도 B도 등산을 좋아해서 매주 산에 올라간다.

→ AもBも登山が好きで毎週山に登る。

④ 둘은 산에서 하룻밤 자기로 했다.

→ 二人は山で一泊することにした。

10 文章を読んで【問１】~【問２】に答えなさい。

나라와 나라가 사이좋게 지내기 위해서는 사람과 사람의 교류가 필요하다. (33) 지금 '규슈올레'에 거는 기대가 크다. '올레'란 원래 제주도 말로 좁은 골목길이라는 뜻인데 지금은 트레킹* 코스라는 뜻으로 사용되고 있다. 제주도에서 시작된 '올레' 코스는 지금 규슈만 해도 이미 스무 개가 넘는다. 일본사람과 한국사람이 함께 걷다가 보면 서로 말은 통하지 않아도 정이 든다. 코스 곳곳에는 휴게소*가 있고 그 지방 요리도 맛볼 수 있다. '규슈올레'는 경치를 즐기는 단순한 트레킹 코스가 아니라 '국제 교류의 길'이기도 하다.

*) 트레킹：トレッキング、휴게소：休憩所

[日本語訳]

国と国とが仲良くするためには、人と人との交流が必要だ。(33)今、「九州オルレ」にかける期待が大きい。「オルレ」というのはもともとチェジュ島の言葉で、せまい路地という意味であ

解　答

るが、今ではトレッキングコースという意味で使われている。チェジュ島で始まった「オルレ」コースは、現在九州だけでもすでに20を超える。日本人と韓国人が一緒に歩いているとお互い言葉が通じなくても情は通う。コースのあちこちに休憩所があり、その土地の料理も味わうことができる。「九州オルレ」は景色を楽しむ単なるトレッキングコースではなく「国際交流の道」でもある。

【問1】（ 33 ）に入れるのに適切なものを①～④の中から1つ選びなさい。 33

❶ 그런 뜻에서　→ そういう意味で
② 그렇지만　→ だけど
③ 그렇다고 해서　→ だからと言って
④ 그와 동시에　→ それと同時に

Point 二番目の文章は最初の文章の内容を否定するものではなく、最初の文章を受けたもの。したがって、逆説の表現になっている②と③は誤答。また最初の文章と二番目の文章は並列の関係ではないので④も誤答。二つの文章を結ぶ一番自然な言葉は①。

【問2】 本文の内容と一致するものを①～④の中から1つ選びなさい。 34

① '규슈올레'는 트레킹을 좋아하는 일본사람을 위한 코스다.
→「九州オルレ」はトレッキングが好きな日本人のためのコースだ。

② 국제 교류를 위해서는 상대방의 말을 배우는 것이 최고다.

→ 国際交流のためには相手の言葉を学ぶのが一番いい。

❸ '규슈올레'를 걸으면 일본의 음식 문화도 즐길 수 있다.

→「九州オルレ」を歩けば日本の食文化も楽しむことができる。

④ 상대방과 정이 들기 위해서는 말이 통해야 한다.

→ 相手と情が通うようになるには言葉が通じなければならない。

Point 「九州オルレ」は日本人のためのコースという記述はなく、また日本人と一緒に韓国人も歩いているので①は誤答。②は一見正答のように見える。確かに一般論としては国際交流のためには相手の言葉を学ぶことは重要だが、ここでは「お互い一緒に歩いていると言葉が通じなくても情が通う」と言っているので②は誤答。「九州オルレ」を歩くと「その土地の料理も味わうことができる」と言っているので③は正答。④は「言葉が通じなくても情は通う」と言っているので誤答。

11 下線部の日本語訳として適切なものを①〜④の中から１つ選びなさい。

1）눈치 보지 말고 하고 싶은 대로 해요. 35

→ 顔色をうかがわないで、やりたいようにやりなさい。

① ごまかさないで

❷ 顔色をうかがわないで

③ お世辞を言わないで

解　答

④ よそ見をしないで

2）동생이 학교에 지각하는 것은 어제오늘 일이 아니에요.
→ 弟が学校に遅刻するのはいつものことです。 36

❶ いつものことです。
② なかなかないことです。
③ おとといのことです。
④ もう昔のことです。

3）그렇게 착한 아이는 요새 보기 드물어요. 37
→ あんなにやさしい子は最近めったにいません。

① 時々見かけます。
② よく見るようになりました。
③ 会うのが楽しみです。
❹ めったにいません。

12 下線部の訳として適切なものを①〜④の中から1つ選びなさい。

1) もう60歳ですよ、若いなんてとんでもない。 **38**

→ 벌써 예순 살입니다. 젊기는요.

❶ 젊기는요. → 若いなんてとんでもない。
② 젊으냐고요. → 若いかですって。
③ 젊다고 할 리가 없어요. → 若いと言うわけがありません。
④ 젊다고 할 수 있죠. → 若いと言えるでしょう。

Point -기는요は{するなんて／だなんて}という意味の慣用表現。相手の言葉を受けて、それを否定する表現で、日常会話などでよく使われる。

2) 味は期待していなかったがなかなかだった。 **39**

→ 맛은 기대하지 않았지만 제법이었다.

① 입을 모았다. → 口をそろえて言った。
② 생각대로였다. → 思った通りだった。
③ 긴말이 필요없었다. → くどくど言う必要はなかった。
❹ 제법이었다. → なかなかだった。

Point 제법は「なかなか；かなり」という意味の名詞。予想していたよりも良かったときなどに使う言葉。

解 答

3）今日面接を受けた会社、脈がなさそうです。 40

→ 오늘 면접 본 회사, 느낌이 좋지 않았어요.

① 버릇이 없었어요. → 無作法でした。

② 마음이 떠났어요. → 心が離れました。

❸ 느낌이 좋지 않았어요. → 脈がなさそうです。

④ 앞뒤가 안 맞았어요. → つじつまが合いませんでした。

Point 느낌이 좋지 않았어요は直訳すると「感じがよくありませんでした」となるが、慣用句として「脈がありませんでした」とか「手ごたえがありませんでした」という意味で使われる。正答は③。

正答と配点

3級聞きとり 正答と配点

●40点満点

問題	設問	マークシート番号	正　答	配　点
1	1)	1	④	2
	2)	2	④	2
2	1)	3	④	2
	2)	4	③	2
	3)	5	④	2
	4)	6	②	2
	5)	7	②	2
	6)	8	①	2
3	1)	9	②	2
	2)	10	③	2
	3)	11	④	2
	4)	12	④	2
4	1)	13	③	2
	2)	14	①	2
	3)	15	②	2
	4)	16	④	2
5	1)	17	②	2
	2)	18	②	2
	3)	19	①	2
	4)	20	④	2
合　計				40

3級筆記　正答と配点

●60点満点

問題	設問	マークシート番号	正答	配点
1	1)	1	①	1
	2)	2	③	1
	3)	3	②	1
2	1)	4	③	1
	2)	5	④	1
	3)	6	②	1
	4)	7	③	1
	5)	8	④	1
	6)	9	②	1
3	1)	10	①	1
	2)	11	④	1
	3)	12	④	1
	4)	13	②	1
	5)	14	②	1
4	1)	15	①	2
	2)	16	④	2
	3)	17	③	2
	4)	18	①	2
5	1)	19	②	1
	2)	20	④	1
	3)	21	④	1

問題	設問	マークシート番号	正答	配点
6	1)	22	③	2
	2)	23	②	2
	3)	24	②	2
	4)	25	①	2
7	1)	26	①	1
	2)	27	④	1
	3)	28	②	1
8	問1	29	③	2
	問2	30	①	2
9	問1	31	④	2
	問2	32	②	2
10	問1	33	①	2
	問2	34	③	2
11	1)	35	②	2
	2)	36	①	2
	3)	37	④	2
12	1)	38	①	2
	2)	39	④	2
	3)	40	③	2
合　計				60

3級

聞きとり　20問/30分
筆　　記　40問/60分

2019年 秋季 第53回
「ハングル」能力検定試験

【試験前の注意事項】
1）監督の指示があるまで、問題冊子を開いてはいけません。
2）聞きとり試験中に筆記試験の問題部分を見ることは不正行為となるので、充分ご注意ください。
3）この問題冊子は試験終了後に持ち帰ってください。
マークシートを教室外に持ち出した場合、試験は無効となります。
※CD3などの番号はＣＤのトラックナンバーです。

【マークシート記入時の注意事項】
1）マークシートへの記入は「記入例」を参照し、ＨＢ以上の黒鉛筆またはシャープペンシルではっきりとマークしてください。ボールペンやサインペンは使用できません。
訂正する場合、消しゴムで丁寧に消してください。
2）氏名、受験地、受験地コード、受験番号、生まれ月日は、もれのないよう正しくマークし、記入してください。
3）マークシートにメモをしてはいけません。メモをする場合は、この問題冊子にしてください。
4）マークシートを汚したり、折り曲げたりしないでください。

※試験の解答速報は、11月10日の試験終了後、協会公式ＨＰにて公開します。
※試験結果や採点について、お電話でのお問い合わせにはお答えできません。

◆次回 2020年 春季 第54回検定：6月7日（日）実施◆

한글
ハングル能力検定協会
한글능력검정협회

第53回 マークシート

「ハングル」能力検定試験

個人情報欄 ※必ずご記入ください

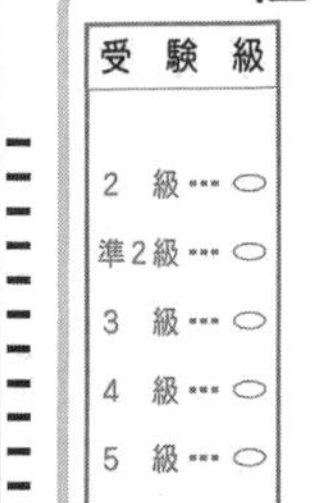

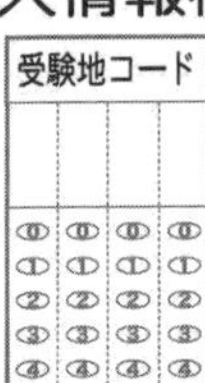

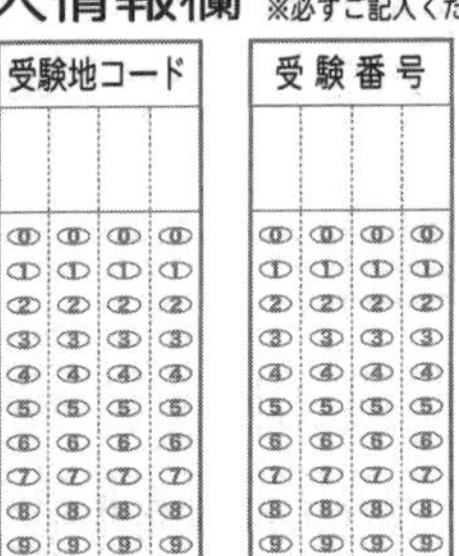

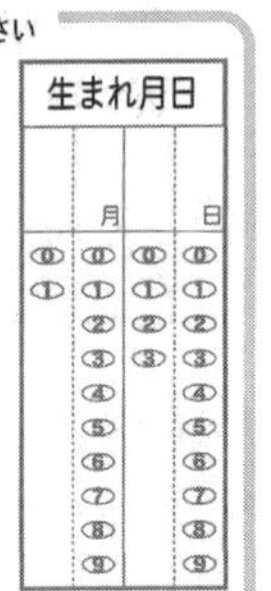

(記入心得)
1. ＨＢ以上の黒鉛筆またはシャープペンシルを使用してください。（ボールペン・マジックは使用不可）
2. 訂正するときは、消しゴムで完全に消してください。
3. 枠からはみ出さないように、ていねいに塗りつぶしてください。

(記入例) 解答が「１」の場合

良い例 ● ② ③ ④

悪い例 レ点 線 バッテン 点 うすい

聞きとり

1〜20 ① ② ③ ④

筆記

1〜40 ① ② ③ ④

41問〜50問は２級のみ解答

41〜50 ① ② ③ ④

K12516T 110kg

ハングル能力検定協会

問　題

聞きとり問題

CD29

1 選択肢を２回ずつ読みます。表や絵の内容に合うものを①～④の中から１つ選んでください。 解答はマークシートの１番と２番にマークしてください。
（空欄はメモをする場合にお使いください）　　〈2点×2問〉

CD30

1）　　　　　　　　　　　　　　　　　　　　　　　　　1

訪日韓国人数の推移

（万人）
800
700
600
500
400
300
200
100
0
2010 2011 2012 2013 2014 2015 2016 2017（年）

①

②

③

④

第53回 問題

CD31

2）

2

①

②

③

④

問　題

CD32

2 短い文と選択肢を２回ずつ読みます。文の内容に合うものを①～④の中から１つ選んでください。解答はマークシートの３番～８番にマークしてください。
(空欄はメモをする場合にお使いください)　〈2点×6問〉

CD33

1）＿＿＿＿＿＿＿＿＿＿＿＿＿＿＿＿＿＿　[3]

①＿＿＿＿　②＿＿＿＿　③＿＿＿＿　④＿＿＿＿

CD34

2）＿＿＿＿＿＿＿＿＿＿＿＿＿＿＿＿＿＿　[4]

①＿＿＿＿　②＿＿＿＿　③＿＿＿＿　④＿＿＿＿

CD35

3）＿＿＿＿＿＿＿＿＿＿＿＿＿＿＿＿＿＿　[5]

①＿＿＿＿　②＿＿＿＿　③＿＿＿＿　④＿＿＿＿

問　題

CD36

4）____ **6**

①__________ ②__________ ③__________ ④__________

CD37

5）____ **7**

①__________ ②__________ ③__________ ④__________

CD38

6）____ **8**

①____________________ ②____________________

③____________________ ④____________________

問　題

CD39

3 短い文を２回読みます。引き続き４つの選択肢も２回ずつ読みます。応答文として適切なものを①～④の中から１つ選んでください。解答はマークシートの９番～12番にマークしてください。

(空欄はメモをする場合にお使いください)　〈2点×4問〉

CD40

1）--　**9**

①--

②--

③--

④--

CD41

2）--　**10**

①--

②--

③--

④--

問　題

CD42

3）＿＿＿＿＿＿＿＿＿＿＿＿＿＿＿＿＿＿＿＿ 11

①＿＿＿＿＿＿＿＿＿＿＿＿＿＿＿＿＿＿＿＿

②＿＿＿＿＿＿＿＿＿＿＿＿＿＿＿＿＿＿＿＿

③＿＿＿＿＿＿＿＿＿＿＿＿＿＿＿＿＿＿＿＿

④＿＿＿＿＿＿＿＿＿＿＿＿＿＿＿＿＿＿＿＿

CD43

4）＿＿＿＿＿＿＿＿＿＿＿＿＿＿＿＿＿＿＿＿ 12

①＿＿＿＿＿＿＿＿＿＿＿＿＿＿＿＿＿＿＿＿

②＿＿＿＿＿＿＿＿＿＿＿＿＿＿＿＿＿＿＿＿

③＿＿＿＿＿＿＿＿＿＿＿＿＿＿＿＿＿＿＿＿

④＿＿＿＿＿＿＿＿＿＿＿＿＿＿＿＿＿＿＿＿

問　題

CD44

問題文を２回読みます。文の内容と一致するものを①～④の中から１つ選んでください。解答はマークシートの13番～16番にマークしてください。

(空欄はメモをする場合にお使いください)　　〈2点×4問〉

CD45

1）　　13

① 女性は手紙を書くために留学した。

② 女性は手紙の返事を待っている。

③ 女性は最近ドラマにはまっている。

④ 女性の将来の目標は韓国で働くことだ。

問題

CD46

2）

14

① 田舎ではいまだに伝統文化が色濃く残っている。

② 伝統的な結婚式を挙げる芸能人が増えている。

③ 芸能人の結婚式はホテルで盛大に行われる。

④ 田舎でもホテルで結婚式を挙げることがある。

問　題

CD47

3）　　15

남：________________

여：________________

남：________________

여：________________

① 平日の東大門市場は比較的すいている。

② 東大門市場には朝までやっている店がたくさんある。

③ 女性は早く家に帰りたがっている。

④ 男性は初めて東大門市場に見物に来た。

CD48

4）　16

남 : ______________________________

여 : ______________________________

남 : ______________________________

여 : ______________________________

① 女性は男性が送ったメールを読んだ。

② 男性は女性を学園祭に誘った。

③ 男性は昨日女性に電話をした。

④ 二人は一緒に学園祭へ行くことにした。

問　題

CD49

5 問題文を２回読みます。文の内容と一致するものを①～④の中から１つ選んでください。解答はマークシートの17番～20番にマークしてください。
(空欄はメモをする場合にお使いください)　〈2点×4問〉

CD50

1）　　17

① 영어는 무조건 외우면 된다.
② 이 영어 학습법은 많은 대학생들이 실천하고 있다.
③ 구체적인 내용을 알고 싶은 사람은 연구소를 찾아가면 된다.
④ 듣기만 해도 효과가 있다는 영어 학습법이다.

問　題

CD51

2）

18

① 미국에서 온 유명 연주가가 피아노를 친다.

② 호텔 직원들이 크리스마스 노래를 부른다.

③ 피아노 연주회가 3층에서 열린다.

④ 호텔 손님들을 위한 연주회가 열린다.

問　題

CD52

3）

19

남 : ______________________________

여 : ______________________________

남 : ______________________________

여 : ______________________________

① 여자는 운전할 줄 모른다.

② 여자는 침대를 사러 왔다.

③ 여자는 누워 있을 때는 아프지 않다.

④ 여자는 허리가 아파서 잠을 잘 수 없다.

CD53

4）　　**20**

남 : --

여 : --

남 : --

여 : --

① 민규와 유미는 서로 사랑하는 사이이다.

② 민규는 머리를 다쳐서 아프다.

③ 민규는 친한 선배가 없다.

④ 민규는 유미를 짝사랑하는 것 같다.

筆記問題

1 下線部を発音どおり表記したものを①～④の中から１つ選びなさい。
(マークシートの１番～３番を使いなさい)　〈1点×3問〉

1）종류가 너무 많아서 못 고르겠어요.　[1]

①［졸류］　②［종뉴］　③［존뉴］　④［종유］

2）올해 첫아기가 태어났대요.　[2]

①［처다기］　②［처사기］　③［처아기］　④［천나기］

3）팀장님께서 부산으로 출장을 가셨습니다.　[3]

①［춘짱］　②［출창］　③［출짱］　④［쭐장］

2 (　　)の中に入れるのに適切なものを①～④の中から1つ選びなさい。
(マークシートの4番～9番を使いなさい)　〈1点×6問〉

1) 한국 영화를 (**4**) 없이 볼 수 있었으면 좋겠다.

① 자막　② 집단　③ 제품　④ 유리

2) 아무리 기다려도 답장이 안 와서 마음이 (**5**).

① 충분하다　② 정확하다　③ 풍부하다　④ 답답하다

3) 그 일을 잊고 싶은데 (**6**) 생각이 나요.

① 자꾸만　② 도대체　③ 도저히　④ 결코

4) A : 오늘은 바람이 세네요.
B : 일기예보를 보니까 (**7**)이 다가오고 있대요.

① 전쟁　② 기온　③ 태풍　④ 태양

5）A：아, 정말 배고파 죽겠는데 왜 요리가 이렇게 안 나오는 거죠?
B：금방 나올 테니까 화(**8**) 말고 조금만 더 기다려 봐요.

① 사지　② 내지　③ 주지　④ 먹지

6）A：이 부분이 번역이 좀 부자연스러운 것 같은데요.
B：영어를 잘하시나 봐요.
A：(**9**) 대학 때 영어를 전공했거든요.

① 하나같이　② 급한 마음에
③ 전에 없이　④ 이래 봬도

3 (　　)の中に入れるのに適切なものを①～④の中から1つ選びなさい。
(マークシートの10番～14番を使いなさい)　〈1点×5問〉

1) 전 아무 때(10) 괜찮으니까 연락하세요.

① 마다　② 나　③ 야말로　④ 는

2) 다른 사람이 뭐라고 (11) 나는 상관없습니다.

① 하든지　② 하자마자　③ 하자면　④ 하다가

3) 춤은 못 추는데 노래는 (12).

① 잘할 수 없다　② 잘하는 편이다
③ 잘해서는 안 된다　④ 잘할 뻔했다

4) A : 만약에 (13) 어떤 사람이 좋아요?
B : 글쎄요. 생각해 본 적 없는데요.

① 결혼했다가는　② 결혼하도록
③ 결혼한다면　④ 결혼하면서

5）A：이 막걸리 좀 드셔 보세요.
B：죄송해요. 저는 술은 전혀（ **14** ）

① 마실 줄 몰라요.　② 마신 적이 있어요.
③ 마실 수밖에 없어요.　④ 마실까 해요.

4 文の意味を変えずに、下線部の言葉と置き換えが可能なものを①～④の中から１つ選びなさい。

(マークシートの15番～18番を使いなさい)　〈2点×4問〉

1) <u>돈이 많은</u> 그 친구를 모두들 부러워한다. 15

① 계산이 밝은　② 말을 잘 듣는
③ 잘생긴　④ 잘사는

2) 갑자기 어머니가 생각나서 휴대폰으로 <u>문자를 보냈어요</u>. 16

① 전화를 걸었어요　② 연락을 했어요
③ 편지를 썼어요　④ 짐을 부쳤어요

3) A : <u>시장하지</u> 않으세요?
B : 점심을 많이 먹어서 아직 괜찮은데요. 17

① 복이 많지　② 배가 고프지
③ 만족하지　④ 떠나가지

問　題

4）A：이거 올해 새로 나온 신발인데 신어 보세요.
B：사이즈는 <u>딱인데</u> 가격이 좀…….　**18**

① 너무 큰데　② 마음에 걸리는데
③ 잘 맞는데　④ 안 들어가는데

問題

5 ２つの(　　　)の中に入れることができるものを①～④の中から１つ選びなさい。

(マークシートの19番～21番を使いなさい)　〈1点×3問〉

1）・그것은 절대 (　　　) 밖에 내면 안 돼요.
　・모든 사람들이 (　　　)을 모아서 칭찬했다.　**19**

① 집　② 손　③ 눈　④ 입

2）・나는 여동생과 말로 싸우면 매번 (　　　).
　・태양은 동쪽에서 떠서 서쪽으로 (　　　).　**20**

① 사라진다　② 떨어진다　③ 이긴다　④ 진다

3）・(　　　)도 안 되는 소리 하지 마세요.
　・(　　　)을 아끼지 말고 어서 얘기해 봐요.　**21**

① 돈　② 시간　③ 말　④ 오늘

6 対話文を完成させるのに最も適切なものを①～④の中から1つ選びなさい。
(マークシートの22番～25番を使いなさい)　〈2点×4問〉

1) A：지현 씨, 주말에 어디로 갈까요?
B：(**22**) 원숭이를 보고 싶거든요.
A：좋아요. 저는 호랑이 사진을 찍고 싶어요.

① 놀이공원으로 가요.
② 동물원은 어때요?
③ 우리 대학이 좋다고 그랬어요.
④ 바닷가를 걷고 싶은데요.

2) A：왜 이렇게 버스가 느리게 가죠?
B：저기 봐요. (**23**)
A：구급차도 와 있네요.

① 길이 얼었네요.
② 빨간 불이네요.
③ 버스가 고장났네요.
④ 사고가 났네요.

3） A：오늘 첫날이었는데 힘들었죠? 계속할 수 있을 거 같아요?

B：（ **24** ）

A：시간이 지나면 괜찮아질 거예요.

① 도저히 못하겠으면 말씀드릴게요.
② 힘들기는요. 너무 재미있는데요.
③ 답장이 늦어져서 죄송합니다.
④ 장시간 노동을 하는 청년들이 늘고 있다고 해요.

4） A：오랜만에 오셨네요. 바쁘셨어요?

B：（ **25** ）

A：그래서 피부가 많이 타셨군요.

① 몸이 안 좋아서 입원했었어요.
② 가족들하고 하와이로 여행을 다녀왔어요.
③ 아뇨. 시간은 있는데 돈이 없어서요.
④ 자격시험 공부 때문에 계속 집에 있었어요.

問　題

7 下線部の漢字と同じハングルで表記されるものを①～④の中から1つ選びなさい。
(マークシートの26番～28番を使いなさい)　〈1点×3問〉

1）職員　**26**

① 集団　② 直接　③ 植物　④ 食卓

2）各自　**27**

① 正確　② 比較　③ 性格　④ 三角

3）違反　**28**

① 放送　② 地方　③ 範囲　④ 後半

8

文章を読んで【問１】～【問２】に答えなさい。
(マークシートの29番～30番を使いなさい)　〈2点×2問〉

나는 취미가 많습니다. 운동을 좋아해서 주말에는 아침 일찍 일어나 축구를 합니다. 영화도 일주일에 한 번씩 보러 갑니다. 그리고 요즘에는 한국어 공부도 시작했습니다. 한류에 관심이 많아서 공부를 시작했는데 작년에는 유학도 갔다 왔습니다. 덕분에 한국말도 잘하게 됐습니다. 수업이 바빠서 한국인 친구를 많이 사귀지 못했던 것이 (29). 한국에 있을 때 축구 한일전*도 보러 갔었습니다. 양쪽 팀의 응원*이 대단했습니다. 유학 생활을 통해 역사에도 관심을 가지게 되었습니다. 앞으로 한국과 일본이 더 가까운 나라가 되었으면 좋겠습니다.

*)한일전：日韓戦、응원：応援

【問１】 (29)に入れるのに最も適切なものを①～④の中から１つ選びなさい。 29

① 아쉽습니다　② 흥미롭습니다
③ 부럽습니다　④ 무섭습니다

【問２】 本文の内容と一致するものを①～④の中から１つ選びなさい。 30

① 나는 역사에 전혀 관심이 없다.
② 나는 축구 선수가 되어서 한일전에 나가고 싶다.
③ 한국과 일본 사이가 좋아지는 것이 나의 바람이다.
④ 유학 중에 한국인 친구를 많이 사귀었다.

9 対話文を読んで【問１】〜【問２】に答えなさい。
(マークシートの31番〜32番を使いなさい)　〈2点×2問〉

A：손님, 무엇을 도와 드릴까요?

B：다른 게 아니라 지난주에 여기서 산 이 컴퓨터가 고장이 나서요.

A：정말 죄송합니다. 영수증은 가지고 오셨어요?

B：아니요, 버렸는데……. 없으면 안 되나요?

A：네, 손님. 우리 가게 상품이라는 걸 확인해야 되거든요.

B：(31) 여기서 샀는데요.

A：손님, 그러면 그때 쓰신 카드는 있으세요?

B：네, 여기 있습니다.

【問１】 (31)に入れるのに最も適切なものを①〜④の中から１つ選びなさい。 31

① 얼마든지　② 자꾸만　③ 틀림없이　④ 따라서

【問２】 本文の内容と一致するものを①～④の中から１つ選びなさい。 32

① 손님은 현금을 주고 컴퓨터를 샀다.
② 손님은 영수증을 집에 두고 왔다.
③ 컴퓨터를 이 가게에서 샀다는 확인이 필요하다.
④ 컴퓨터를 고칠 수 없어서 새로 사기로 했다.

10 文章を読んで【問１】～【問２】に答えなさい。
(マークシートの33番～34番を使いなさい)　〈2点×2問〉

소설을 쓰자면 쓰고 싶다는 생각만으로는 안 된다. 우선 구체적인 계획을 세워야 한다. (33) 쓰다가 보면 앞뒤가 안 맞게 된다. 전체적인 그림을 먼저 그리고 어느 부분에 어느 사건을 넣을지 미리 정해 놓으면 부족한 부분도 보이게 된다. 전반적*인 이미지가 그려진 다음에 펜을 든다. 그리고 이상한 부분은 없는지 몇 번이라도 고치고 또 고칠 필요가 있다. 고치면 고칠수록 좋은 글이 나온다. 소설을 쓴다는 것은 쉬운 일이 아니다. 이름을 남길 수도 있는 대단한 일이다.

*) 전반적：全般的

【問１】 (33)に入れるのに最も適切なものを①～④の中から１つ選びなさい。　33

① 자료를 잘 이해한 후에
② 내용을 잘 정리해서
③ 순서를 정하고
④ 아무 생각 없이

問　題

【問２】 本文の内容と一致するものを①～④の中から１つ選びなさい。 34

① 이것저것 생각하기보다는 먼저 쓰는 것이 중요하다.
② 일단 쓴 문장은 고치지 않는 게 좋다.
③ 소설을 쓰면 누구든지 이름을 남길 수 있다.
④ 좋은 소설을 쓰자면 전체적인 계획이 필요하다.

11 下線部の日本語訳として適切なものを①～④の中から１つ選びなさい。

(マークシートの35番～37番を使いなさい)　〈2点×3問〉

1）그 친구는 <u>너무 눈이 높아서</u> 애인이 없는 것 같다. **35**

① 目が大きすぎて
② 理想が高すぎて
③ 人目を気にしすぎて
④ 気が利(き)かなすぎて

2）역 앞에 새로 생긴 가게에는 <u>없는 것이 없다.</u> **36**

① なんでもある。
② 品揃(しなぞろ)えが悪い。
③ 行く時間がない。
④ 誰もいない。

3）치료를 받으면 <u>좀 덜 아플 겁니다.</u> **37**

① もっとひどくなると思います。

② 熱が下がると思います。

③ 痛みが和(やわ)らぐでしょう。

④ 痛いところが治るでしょう。

12 下線部の訳として適切なものを①～④の中から１つ選びなさい。
(マークシートの38番～40番を使いなさい)　〈2点×3問〉

1）大丈夫ですよ。大変なことになった訳でもないじゃないですか。 **38**

① 큰일이 난 것도 아니잖아요.
② 이제부터 시작이잖아요.
③ 힘든 것이 이유가 아니잖아요.
④ 큰일이 될 리가 없잖아요.

2）ついに、彼は本性をさらけ出した。 **39**

① 값이 나갔다.
② 가면을 벗었다.
③ 얼굴을 못 들었다.
④ 생각을 돌렸다.

3）後で分かったのだが、二人は生き別れた兄妹であった。 **40**

① 뒤를 돌아보니
② 무슨 소리냐 하면
③ 바꿔 말하면
④ 알고 보니

聞きとり 問題と解答

これから３級の聞きとりテストを行います。選択肢①～④の中から解答を１つ選び、マークシートの指定された欄にマークしてください。どの問題もメモをする場合は問題冊子の空欄にしてください。マークシートにメモをしてはいけません。では始めます。

1 ４つの選択肢を２回ずつ読みます。表や絵の内容に合うものを①～④の中から１つ選んでください。解答はマークシートの１番と２番にマークしてください。次の問題に移るまでの時間は30秒です。

1）　　1

訪日韓国人数の推移
(万人)
800
700
600
500
400
300
200
100
0
2010 2011 2012 2013 2014 2015 2016 2017 (年)

① 2010년에 가장 많은 한국인이 일본에 왔다.
→ 2010年にもっとも多くの韓国人が日本に来た。

解 答

② 2015년에는 700만 명의 한국인이 일본에 왔다.

→ 2015年には700万人の韓国人が日本に来た。

❸ 2017년에 가장 많은 한국인이 일본에 왔다.

→ 2017年にもっとも多くの韓国人が日本に来た。

④ 일본에 오는 한국인 수에는 큰 변화가 없다.

→ 日本に来る韓国人の数には大きな変化はない。

Point グラフを見て答える問題。グラフを正しく説明している文は③。数字をしっかり聞き取れれば難しくはない。正答率の高かった問題。

2）　**2**

① 짐은 남자가 다 들었습니다.

→ 荷物は男性が全て持ちました。

❷ 두 사람은 손을 잡고 있습니다.

→ 二人は手をつないでいます。

③ 둘은 키가 비슷합니다.

→ 二人は背の高さが同じくらいです。

④ 날씨가 아주 더운 것 같습니다.

→ 天気がとても暑いみたいです。

2 短い文と選択肢を２回ずつ読みます。文の内容に合うものを①～④の中から１つ選んでください。解答はマークシートの３番～８番にマークしてください。次の問題に移るまでの時間は20秒です。

1) 형이나 누나의 아이를 이렇게 부릅니다. 3

→ 兄や姉の子どもをこう呼びます。

❶ 조카 → 甥　② 환자 → 患者

③ 후배 → 後輩　④ 아저씨 → おじさん

Point 正答は①。家族を表す単語はよく出題されるので、他の単語と一緒にセットで覚えるといい。誤答の中で一番選んだ人が多かったのは④だが、아이を聞き取れれば選ぶことはないはず。

2) 사람들은 이것을 통해 뉴스를 보거나 듣습니다. 4

→ 人々はこれを通じてニュースを見たり聞いたりします。

① 밥솥 → 炊飯器　② 무기 → 武器

解　答

③ 바위 → 岩　　❹ 방송 → 放送

3）전문적으로 연구하거나 공부하는 분야를 말합니다. **5**

→ 専門的に研究したり勉強する分野を言います。

① 정부 → 政府　　❷ 전공 → 専攻
③ 독학 → 独学　　④ 정보 → 情報

Point 正答は②だが③と④を選んだ受験者も少なくなかった。選択肢は全て漢字語で、日本語の漢字熟語と共通のものばかり。共通とは、漢字の音は「ハングル読み」なので日本語と若干違うが、意味は同じであるということ。漢字の音読みの練習を地道に続ければ、漢字語の語彙がどんどん増えていく。

4）가장 새롭다는 의미입니다. **6**

→ もっとも新しいという意味です。

❶ 최신 → 最新　　② 최대 → 最大
③ 최악 → 最悪　　④ 취소 → 取り消し

5）몸이 아프거나 다쳐서 급할 때 이것을 부릅니다. **7**

→ 体調が悪かったりけがをして急な時にこれを呼びます。

① 경찰 → 警察　　❷ 구급차 → 救急車
③ 병원 → 病院　　④ 교사 → 教師

Point 아프다という比較的簡単な言葉が聞き取れたとしても、이것을 부

름니다「これを呼びます」が分からないと短絡的に誤答③の病院を選ぶことになるだろう。ちなみに選択肢は皆日本語と共通の漢字語。漢字語を覚えるには、一つひとつの単語に自分なりの印を付けるといい(丸で囲むとか、波線を引くとか)。

6) 뭐든지 잘 안다는 뜻입니다. **8**

→ なんでもよく知っているという意味です。

❶ 모르는 게 없다 → 知らないものがない
② 말이 안 되다 → 話にならない
③ 자리를 같이하다 → 席を共にする
④ 머리가 무겁다 → 頭が重い

3 短い文を2回読みます。引き続き4つの選択肢も2回ずつ読みます。応答文として適切なものを①～④の中から1つ選んでください。解答はマークシートの9番～12番にマークしてください。次の問題に移るまでの時間は25秒です。

1) 우리 몇 년 만이죠? 같이 학교 다니던 때가 엊그제 같은데요. **9**

→ 私たち何年ぶりでしょうか？ 一緒に学校に通っていた時がついこの前のようなのに。

解　答

① 그저께는 학교가 쉬는 날이었어요.

→ 一昨日は学校が休校でした。

② 지난주에 같이 만난 그 친구는 잘 있어요?

→ 先週一緒に会ったあの友達は元気ですか?

③ 처음 뵙겠습니다. 학교 선생님이세요?

→ はじめまして。学校の先生でいらっしゃいますか?

❹ 학생 때도 예뻤지만 더 예뻐졌네요.

→ 学生の時もきれいだったけど、もっときれいになりましたね。

Point 問題文では何年ぶりに会ったかを聞いているのに、①と②は最近の出来事を話しているので誤答。③は初対面の時のあいさつなので論外。正答は④。

2) 만 원만 더 깎아 주시면 안 될까요?　**10**

→ もう1万ウォンだけまけてくれませんか?

❶ 그 가격에 팔면 우린 남는 게 없어요.

→ その価格で売ったらうちは利益がでませんよ。

② 맞아요. 이게 요즘 가장 잘 나가는 거래요.

→ そうです。これが最近一番売れているものだそうです。

③ 여기만 깎으면 될 것 같은데요.

→ ここだけ削れば良さそうですけど。

④ 안 돼요. 저 오늘 약속이 있어요.

→ だめです。私、今日約束があります。

Point 깎아 주세요は買い物をするときに使う「まけてください」という定番フレーズ。正答は①だが、남는 게 없어요[直訳:残るものがあり

ません]が難しかったのか、正答率は高くなかった。②はまけて欲しいという要望に対する返事になっていないので誤答。③は「価格をまける」という意味ではなく、単にある部分をカットするという意味。④は二つの目の文がとんちんかんなことを言っているので誤答。

3）오늘도 또 늦었군요. 참는 데도 한계가 있습니다. **11**

→ 今日もまた遅れましたね。我慢にも限界があります。

① 늦을 거 같으면 전화 드리겠습니다.

→ 遅れるようでしたらお電話いたします。

② 미안해요. 제가 너무 빨리 온 것 같아요.

→ ごめんなさい。私が早く来すぎたみたいです。

③ 여기에는 한 개밖에 없는데 두 개 필요한가요?

→ ここにはひとつしかありませんが、二つ必要ですか？

❹ 죄송합니다. 열심히 뛰었는데 버스를 놓쳤어요.

→ 申し訳ありません。一所懸命走ったのですが、バスを逃しました。

Point 問題文の참는 데도 한계가 있습니다「我慢するのにも限界があります」がポイント。③の한 개「一個」は한계「限界」と同じような音だが、別物。また、오늘도 또 늦었군요「今日もまた遅れましたね」が聞き取れれば、①のようにこれから起こることでもなければ、②のように早く来たのでもないことは明らか。

4）아이가 열이 나는 것 같은데 어떡하죠? **12**

→ 子どもが熱があるみたいなんですけど、どうしましょう。

解　答

① 열 살이 아니라 아홉 살이 아니에요?

→ 10歳ではなく9歳ではないんですか？

❷ 빨리 병원에 데려가 보시죠.

→ 早く病院に連れて行ってみてください。

③ 치약을 어제 사 놓았는데요.

→ 歯磨き粉を昨日買っておいたんですが。

④ 덕분에 병원에 잘 다녀왔습니다.

→ おかげさまでちゃんと病院に行ってきました。

4 問題文を２回読みます。文の内容と一致するものを①～④の中から１つ選んでください。解答はマークシートの13番～16番にマークしてください。次の問題に移るまでの時間は30秒です。

1）　　13

김수현 씨, 안녕하세요? 저는 요즘 김수현 씨가 나오는 드라마에 빠져 삽니다. 김수현 씨에게 편지를 쓰고 싶어서 한국말도 공부했습니다. 앞으로도 일본에서 드라마 많이 보겠습니다.

【日本語訳】

キム・スヒョンさん、こんにちは。私は最近キム・スヒョンさんが出るドラマにすっかりはまっています。キム・スヒョンさんに手紙を書きたくて韓国語も勉強しました。これからも日本でドラマをたくさんみようと思います。

① 女性は手紙を書くために留学した。
② 女性は手紙の返事を待っている。
❸ 女性は最近ドラマにはまっている。
④ 女性の将来の目標は韓国で働くことだ。

2） 14

세월이 흐르면서 집에서 결혼식을 올리는 문화가 거의 사라졌습니다. 예를 들어 요즘에는 시골에서도 호텔에서 결혼식을 올리는 경우가 있다고 합니다. 그런데 얼마 전에 한 연예인이 집 마당에서 전통 결혼식을 올려 뉴스가 되기도 했습니다.

【日本語訳】

時の流れと共に家で結婚式を挙げる文化がほとんどなくなりました。例えば最近では田舎でもホテルで結婚式を行う場合があると言います。けれども少し前に、ある芸能人が家の庭で伝統的な結婚式を挙げ、ニュースになったりもしました。

① 田舎ではいまだに伝統文化が色濃く残っている。
② 韓国の伝統的な結婚式は三日間行われる。

解　答

③ 芸能人の結婚式はホテルで盛大に行われる。

❹ 伝統的な結婚式が注目を浴びることもある。

3）　15

남：동대문 시장은 언제 와도 사람이 많네요.
여：그런데 이렇게 늦은 시간까지 장사해요?
남：그럼요. 새벽까지 하는 가게들도 많아요.
여：그래요? 오늘은 밤 새워 구경해야겠네요.

【日本語訳】

男：東大門市場はいつ来ても人が多いですね。
女：だけどこんなに遅い時間まで商いをするんですか？
男：そうですとも。夜明けまでやっているお店も多いですよ。
女：そうなんですか。今日は夜通し見物しないといけませんね。

① 平日の東大門市場は比較的すいている。

❷ 東大門市場には朝までやっている店がたくさんある。

③ 女性は早く家に帰りたがっている。

④ 男性は初めて東大門市場に見物に来た。

4）

16

남 : 어제 보낸 문자 안 봤어요?

여 : 죄송해요, 아직 못 봤어요. 무슨 일이에요?

남 : 주말에 시간 있으면 같이 학교 축제에 갈까 해서요.

여 : 어떡하죠? 주말에는 시간이 안 될 것 같은데요.

【日本語訳】

男 : 昨日送ったメールを読みませんでしたか?

女 : ごめんなさい、まだ読めてないです。どうしましたか?

男 : 週末に時間があれば一緒に学園祭に行こうかと思って。

女 : どうしましょう。週末は時間がなさそうですけど。

① 女性は男性が送ったメールを読んだ。

❷ 男性は女性を学園祭に誘った。

③ 男性は昨日女性に電話をした。

④ 二人は一緒に学園祭へ行くことにした。

解　答

5 問題文を２回読みます。文の内容と一致するものを①～④の中から１つ選んでください。解答はマークシートの17番～20番にマークしてください。次の問題に移るまでの時間は30秒です。

1） 17

여러분, 이제 더 이상 영어 때문에 고민하지 마십시오. 저희 대학교 연구팀이 새로운 영어 학습법을 만들어 냈습니다. 이제 듣기만 하면 영어가 입에서 나옵니다. 궁금하시다고요? 지금 바로 저희 홈페이지에서 확인하십시오.

【日本語訳】

みなさん、もうこれ以上英語のせいで悩まないでください。私たちの大学の研究チームが新しい英語学習法を開発しました。もう聞くだけで英語が口から出てきます。気になりますって？ 今すぐ私たちのホームページでご確認ください。

① 영어는 무조건 외우면 된다.

→ 英語は無条件で覚えればいい。

② 이 영어 학습법은 많은 대학생들이 실천하고 있다.

→ この英語学習法は多くの大学生たちが実践している。

③ 구체적인 내용을 알고 싶은 사람은 연구소를 찾아가면 된다.

→ 具体的な内容を知りたい人は研究所を訪ねて行けば良い。

❹ 듣기만 해도 효과가 있다는 영어 학습법이다.

→ 聞くだけで効果があるという英語学習法だ。

Point 本文の듣기만 하면「聞きさえすれば」は動詞듣다の語幹듣に기만 하다「～だけする」という慣用表現が付いて、듣기만 하다となったところに「仮定」や「前提」を表す－면が하다の語幹하に付いた形。この表現がしっかり聞き取れるかがポイント。

2）　18

저희 호텔을 이용 중이신 손님 여러분께 안내 말씀드립니다. 오늘 오후 3시부터 2층 로비에서 피아노 연주가 있습니다. 국내 유명 연주가가 크리스마스와 관련된 곡을 연주합니다. 좋은 시간 되시기를 바랍니다.

【日本語訳】

当ホテルを利用中のみなさまに御案内申し上げます。本日午後3時より2階のロビーにてピアノ演奏がございます。国内の有名演奏家がクリスマスにちなんだ曲を演奏します。良い時間をお過ごしくださいませ。

① 미국에서 온 유명 연주가가 피아노를 친다.

→ アメリカから来た有名な演奏家がピアノを弾く。

解　答

② 호텔 직원들이 크리스마스 노래를 부른다.

→ ホテルの職員たちがクリスマスソングを歌う。

③ 피아노 연주회가 3층에서 열린다.

→ ピアノの演奏会が3階で行われる。

❹ 호텔 손님들을 위한 연주회가 열린다.

→ ホテルのお客様のための演奏会が開かれる。

3）　19

남：어떻게 오셨어요?

여：운전할 때 허리가 너무 아파서요.

남：침대에 누워 있어도 아프세요?

여：잘 때는 괜찮은 것 같아요.

【日本語訳】

男：どうされましたか？

女：運転する時に腰がとても痛いんです。

男：ベッドに横になっている時も痛いですか？

女：寝る時は大丈夫のようです。

① 여자는 운전할 줄 모른다.

→ 女性は運転の仕方を知らない。

② 여자는 침대를 사러 왔다.

→ 女性はベッドを買いに来た。

❸ 여자는 누워 있을 때는 아프지 않다.

→ 女性は横になっている時は痛くない。

④ 여자는 허리가 아파서 잠을 잘 수 없다.

→ 女性は腰が痛くて眠ることができない。

Point 女性は運転をするときに腰が痛いと言っているので①は間違い。またベットに寝ている時痛いかを問われているだけなので②でもない。横になっている時は痛くないというので正答は③。④は③と反対の意味なので誤答。ちなみに冒頭の어떻게 오셨어요?は手段ではなく理由を聞いているので注意。

4）　20

남：요즘 머리가 복잡해요.

여：왜요? 민규 씨, 무슨 일 있었어요?

남：제가 좋아하는 유미 씨가 제 친한 남자 선배랑 사귄대요.

여：진짜요? 마음이 아프겠네요.

【日本語訳】

男：最近頭が混乱しています。

女：なぜですか？　ミンギュさん、何かあったんですか？

男：僕の好きなユミさんが、僕の親しい先輩と付き合っているそうです。

女：本当ですか？　辛いですね。

解　答

① 민규와 유미는 서로 사랑하는 사이이다.

→ ミンギュとユミは互いに愛し合っている。

② 민규는 머리를 다쳐서 아프다.

→ ミンギュは頭をけがして痛い。

③ 민규는 친한 선배가 없다.

→ ミンギュは親しい先輩がいない。

❹ 민규는 유미를 짝사랑하는 것 같다.

→ ミンギュはユミに片思いをしているみたいだ。

筆記 問題と解答

1 下線部を発音どおり表記したものを①～④の中から１つ選びなさい。

1）종류가 너무 많아서 못 고르겠어요. [1]

→ 種類が多すぎて選べません。

① ［졸류］　❷［종뉴］　③［존뉴］　④［종유］

2）올해 첫아기가 태어났대요. [2]

→ 今年第一子が産まれたそうです。

❶［처다기］　②［처사기］　③［처아기］　④［천나기］

Point 単語間の連音化の問題。첫아기は「첫（はじめての）」と「아기（赤ちゃん）」の合成語なので、最初の単語첫の発音［첟］のㄷパッチムが後ろの아기の아に連音して［처다기］と発音される。

3）팀장님께서 부산으로 출장을 가셨습니다. [3]

→ チーム長は釜山に出張に行かれました。

①［춘짱］　②［출창］　❸［출짱］　④［쭐장］

解答

2 (　　)の中に入れるのに適切なものを①～④の中から１つ選びなさい。

1) 한국 영화를 (4) 없이 볼 수 있었으면 좋겠다.
→ 韓国映画を(4)無しに見れたらいいなぁ。

❶ 자막 → 字幕　　② 집단 → 集団
③ 제품 → 製品　　④ 유리 → ガラス

2) 아무리 기다려도 답장이 안 와서 마음이 (5).
→ いくら待っても返事がこないので心が(5)。

① 충분하다 → 十分だ　　② 정확하다 → 正確だ
③ 풍부하다 → 豊富だ　　❹ 답답하다 → もどかしい

3) 그 일을 잊고 싶은데 (6) 생각이 나요.
→ そのことを忘れたいのに(6)思い出します。

❶ 자꾸만 → しきりに　　② 도대체 → いったい
③ 도저히 → 到底　　④ 결코 → 決して

Point 適切な副詞を選ぶ問題。①の자꾸만は、자꾸「しきりに、何度も」に強調の意の-만が付いた形。③の도저히「到底」は도저히 이해가 안 된다「到底理解できない」のように、否定表現とセットで使われる。

4）A：오늘은 바람이 세네요.
B：일기예보를 보니까（ 7 ）이 다가오고 있대요.
→ A：今日は風が強いですね。
B：天気予報を見ると（ 7 ）が近づいているそうです。

① 전쟁 → 戦争　② 기온 → 気温
❸ 태풍 → 台風　④ 태양 → 太陽

5）A：아, 정말 배고파 죽겠는데 왜 요리가 이렇게 안 나오는 거죠?
B：금방 나올 테니까 화（ 8 ）말고 조금만 더 기다려 봐요.
→ A：ああ、本当にお腹が空いてたまらないのになんで料理がこんなに出てこないんでしょう？
B：すぐ出てくるはずだから怒り（ 8 ）ないで、もうちょっと待ってみましょう。

① 사지 → 買わ～　❷ 내지 → 出さ～
③ 주지 → あげ～　④ 먹지 → 食べ～

Point 連語を問う問題。「화(를) 내다」で「怒りを出す」つまり「怒る」という意味なので、正答は②。

6）A：이 부분이 번역이 좀 부자연스러운 것 같은데요.
B：영어를 잘하시나 봐요.
A：（ 9 ）대학 때 영어를 전공했거든요.
→ A：この部分の翻訳がちょっと不自然なようですが。

解　答

B：英語がお上手なんですね。
A：（ 9 ）大学の時に英語を専攻したんですよ。

① 하나같이 → いずれも
② 급한 마음에 → 気が急いて
③ 전에 없이 → いつになく
❹ 이래 봬도 → こう見えても

Point 慣用句を問う問題。慣用句は個々の単語を訳しても意味が通じないものがほとんど。つまり句の中のいくつかの単語がその組合せによって単語本来の意味の寄せ集めと違う新たな意味の表現となるものである。当協会発行の『合格トウミ』に掲載されている慣用句には適切な訳が付いているので、ぜひ学んで欲しい。

3 （　　）の中に入れるのに適切なものを①～④の中から１つ選びなさい。

1）전 아무 때（ 10 ）괜찮으니까 연락하세요.
→ 私はいつ（ 10 ）大丈夫だから連絡してください。

① 마다 → ～ごとに
❷ 나 → ～でも
③ 야말로 → ～こそ
④ 는 → ～は

Point 助詞を問う問題。아무 때나で「いつでも」の意味。①は학교마다で「学校ごとに」、③は저야말로 감사합니다で「こちらこそありがとうございます」、④は나는で「私は」のように使われる。

2）다른 사람이 뭐라고（ 11 ）나는 상관없습니다.
→ 他の人がなんて（ 11 ）私は関係ありません。

❶ 하든지 → 言おうと　② 하자마자 → 言うやいなや
③ 하자면 → 言うなら　④ 하다가 → 言いかけて

3）춤은 못 추는데 노래는（ 12 ）.
→ 踊りは踊れないけど歌は（ 12 ）。

① 잘할 수 없다 → 上手くできない
❷ 잘하는 편이다 → 上手い方だ
③ 잘해서는 안 된다 → 上手くしてはだめだ
④ 잘할 뻔했다 → 上手くやるところだった

4）A：만약에（ 13 ）어떤 사람이 좋아요?
B：글쎄요. 생각해 본 적 없는데요.
→ A：もし（ 13 ）どんな人がいいですか？
B：そうですね…。考えたことないですけど。

① 결혼했다가는 → 結婚したら
② 결혼하도록 → 結婚するように
❸ 결혼한다면 → 結婚するならば
④ 결혼하면서 → 結婚しながら

解　答

5）A：이 막걸리 좀 드셔 보세요.
B：죄송해요. 저는 술은 전혀（ 14 ）
→ A：このマッコリをちょっと飲んでみてください。
B：ごめんなさい。私はお酒はまったく（ 14 ）

❶ 마실 줄 몰라요. → 飲めないんです。
② 마신 적이 있어요. → 飲んだことがあります。
③ 마실 수밖에 없어요. → 飲むしかありません。
④ 마실까 해요. → 飲もうと思います。

Point 慣用表現の問題。（ ）の前に죄송해요「ごめんなさい」と전혀「まったく」があることに注目。勧められたマッコリを断っているので正答は①。-ㄹ 줄 모르다で「～できない」、-ㄹ 줄 알다で「～できる」の意味。없어요があるせいか③を選んだ受験者も多かったが、-수밖에 없어요は「～するしかありません」という意味で、마실 수밖에 없어요は「飲むしかありません」になるので誤答。

4 文の意味を変えずに、下線部の言葉と置き換えが可能なものを①～④の中から１つ選びなさい。

1）돈이 많은 그 친구를 모두들 부러워한다. 15
→ お金がたくさんあるその友達をみんな羨んでいる。

① 계산이 밝은 → 計算高い
② 말을 잘 듣는 → 言うことをよく聞く
③ 잘생긴 → かっこいい

❹ 잘사는　→ 豊かに暮らしている

Point ①の계산이 밝다は直訳すると「計算が明るい」だが「計算高い」という意味の慣用句。問題文に돈「お金」という単語が入っているからと単純に계산の入った選択肢を選ぶと間違える。④の잘살다が「いい暮らし(経済的に豊かな暮らし)をしている」なので正答。

2) 갑자기 어머니가 생각나서 휴대폰으로 문자를 보냈어요.
→ 急に母が思い浮かんで、携帯でメールを送りました。 **16**

① 전화를 걸었어요　→ 電話をかけました
❷ 연락을 했어요　→ 連絡をしました
③ 편지를 썼어요　→ 手紙を書きました
④ 짐을 부쳤어요　→ 荷物を送りました

3) A : 시장하지 않으세요?
B : 점심을 많이 먹어서 아직 괜찮은데요. **17**
→ A : お腹がすいてないですか？
B : お昼をたくさん食べたから、まだ大丈夫ですけど。

① 복이 많지　→ 福が多く
❷ 배가 고프지　→ お腹が空いて
③ 만족하지　→ 満足して
④ 떠나가지　→ 離れて行か

解　答

4）A：이거 올해 새로 나온 신발인데 신어 보세요.
B：사이즈는 딱인데 가격이 좀……. 　18

→ A：これ、今年新しく出たくつなんですけど、履いてみてください。
B：サイズはぴったりだけど値段がちょっと…。

① 너무 큰데 → 大きすぎるけど
② 마음에 걸리는데 → 気にかかるけど
❸ 잘 맞는데 → よく合うけど
④ 안 들어가는데 → 入らないけど

5 2つの(　　　)の中に入れることができるものを①～④の中から1つ選びなさい。

1）・그것은 절대 (입) 밖에 내면 안 돼요.
→ それは絶対(口)の外に出しては(口外しては)いけません。
・모든 사람들이 (입)을 모아서 칭찬했다. 　19
→ すべての人が(口)をそろえて称賛した。

① 집 → 家　　② 손 → 手
③ 눈 → 目；雪　　❹ 입 → 口

Point ①は一番目の文にしか入らないので除外。②は一見両方に入るように思えるが、손을 모아서は「手を合わせて」になるので、後ろに来る칭찬했다とつながらない。③はいずれの文に入れても不自然なので、正答は④。

2）・나는 여동생과 말로 싸우면 매번 (진다).

→ 私は妹と口で争うと毎回(負ける)。

・태양은 동쪽에서 떠서 서쪽으로 (진다). **20**

→ 太陽は東から登って西へ(沈む)。

① 사라진다 → 消える　② 떨어진다 → 落ちる

③ 이긴다 → 勝つ　❹ 진다 → 負ける；沈む

Point ④の진다は「負ける」と「沈む(暮れる)」の両方の意味があるので正答。②の떨어진다は「落ちる」だが、一番目の文に入れると「口で争うといつも落ちる」となり変なので誤答。③の이긴다「勝つ」は一番目の文には入るが、二番目の文には入らないので、これも誤答。

3）・(말)도 안 되는 소리 하지 마세요.

→ (話)にもならないこと言わないでください。

・(말)을 아끼지 말고 어서 얘기해 봐요. **21**

→ (言葉)を惜しまないで早く話してみてよ。

① 돈 → お金　② 시간 → 時間

❸ 말 → 話；言葉　④ 오늘 → 今日

解答

6 対話文を完成させるのに最も適切なものを①～④の中から１つ選びなさい。

1）A：지현 씨, 주말에 어디로 갈까요?
B：(**22**) 원숭이를 보고 싶거든요.
A：좋아요. 저는 호랑이 사진을 찍고 싶어요.

→ A：チヒョンさん、週末にどこへ行きましょうか？
B：(**22**)猿を見たいんですよ。
A：いいですね。私は虎の写真を撮りたいです。

① 놀이공원으로 가요.
→ 遊園地に行きましょう。

❷ 동물원은 어때요?
→ 動物園はどうですか？

③ 우리 대학이 좋다고 그랬어요.
→ 私の大学がいいと言いました。

④ 바닷가를 걷고 싶은데요.
→ 海岸を歩きたいんですが。

2）A：왜 이렇게 버스가 느리게 가죠?
B：저기 봐요. (**23**)
A：구급차도 와 있네요.

→ A：なんでこんなにバスがゆっくり進むんでしょう？
B：あそこを見てください。(**23**)
A：救急車も来ていますね。

① 길이 얼었네요.

→ 道が凍ってますね。

② 빨간 불이네요.

→ 赤信号ですね。

③ 버스가 고장났네요.

→ バスが故障しましたね。

❹ 사고가 났네요.

→ 事故が起きたんですね。

3) A：오늘 첫날이었는데 힘들었죠? 계속할 수 있을 거 같아요?

B：(24)

A：시간이 지나면 괜찮아질 거예요.

→ A：今日初日でしたが大変だったでしょう？ 続けられそうですか？

B：(24)

A：時間が経てば大丈夫になると思います。

❶ 도저히 못하겠으면 말씀드릴게요.

→ どうしても無理だったらお話ししますね。

② 힘들기는요. 너무 재미있는데요.

→ 大変だなんて。とても楽しいですよ。

③ 답장이 늦어져서 죄송합니다.

→ 返事が遅れて申し訳ありません。

解　答

④ 장시간 노동을 하는 청년들이 늘고 있다고 해요.

→ 長時間労働をする青年たちが増えているそうです。

Point Aが最初に仕事を続けられるか聞いていて、そしてBの応答を受けて、時間が経てば大丈夫になると励ましている点に注目。③の답장は〈答状〉という漢字語で回答をする手紙や返信のこと。それが遅れたことを謝っているので除外。④も客観的な第三者についての話なので除外できる。残ったのは①と②だが、①はどうしても無理だったらお話しますと言っていて、Bの次のせりふとかみ合うので正答。도저히「到底」の意味を知ることが重要。②はとても楽しいと述べているので、かみ合わない。

4）A：오랜만에 오셨네요. 바쁘셨어요?

B：（ 25 ）

A：그래서 피부가 많이 타셨군요.

→ A：久しぶりに来られましたね。お忙しかったんですか？

B：（ 25 ）

A：だから肌がすごく焼けてらっしゃるんですね。

① 몸이 안 좋아서 입원했었어요.

→ 体調が悪くて入院していました。

❷ 가족들하고 하와이로 여행을 다녀왔어요.

→ 家族とハワイに旅行に行ってきました。

③ 아뇨. 시간은 있는데 돈이 없어서요.

→ いいえ、時間はあるけどお金がなくて。

④ 자격시험 공부 때문에 계속 집에 있었어요.

→ 資格試験の勉強のためにずっと家にいました。

Point Aの応答文にある、피부가 타다「皮膚が焼ける」の意味が分かれば解ける問題。타다は「焼ける」の他に「燃える」、「焦げる」とも訳される。

7 下線部の漢字と同じハングルで表記されるものを①～④の中から1つ選びなさい。

1）職員 → 직원 【26】

① 集団 → 집단　❷ 直接 → 직접
③ 植物 → 식물　④ 食卓 → 식탁

2）各自 → 각자 【27】

① 正確 → 정확　② 比較 → 비교
③ 性格 → 성격　❹ 三角 → 삼각

3）違反 → 위반 【28】

① 放送 → 방송　② 地方 → 지방
③ 範囲 → 범위　❹ 後半 → 후반

Point 漢字の読みは、同じ漢字を使っている単語を同時に覚えると良い。例えば위반〈違反〉、반대〈反対〉、반성〈反省〉や、후반〈後半〉、전반〈前半〉、한 시반〈-時半〉「1時半」など。

解　答

8 文章を読んで【問１】〜【問２】に答えなさい。

나는 취미가 많습니다. 운동을 좋아해서 주말에는 아침 일찍 일어나 축구를 합니다. 영화도 일주일에 한 번씩 보러 갑니다. 그리고 요즘에는 한국어 공부도 시작했습니다. 한류에 관심이 많아서 공부를 시작했는데 작년에는 유학도 갔다 왔습니다. 덕분에 한국말도 잘하게 됐습니다. 수업이 바빠서 한국인 친구를 많이 사귀지 못했던 것이 (29). 한국에 있을 때 축구 한일전*도 보러 갔었습니다. 양쪽 팀의 응원*이 대단했습니다. 유학 생활을 통해 역사에도 관심을 가지게 되었습니다. 앞으로 한국과 일본이 더 가까운 나라가 되었으면 좋겠습니다.

*) 한일전：日韓戦、응원：応援

[日本語訳]

私は趣味がたくさんあります。運動が好きで週末は朝早く起きてサッカーをします。映画も週に１回ずつ見に行きます。そして最近は韓国語の勉強も始めました。韓流に大いに興味があって勉強を始めましたが、去年は留学もしてきました。おかげで韓国語も上手になりました。授業が忙しくて韓国人の友達とたくさん付き合えなかったのが(29)。韓国にいる時、サッカーの日韓戦も見に行きました。両チームの応援がすごかったです。留学生活を通じて歴史にも関心を持つようになりました。今後、韓国と日本がもっと近い国になればいいなと思います。

【問１】（ 29 ）に入れるのに最も適切なものを①～④の中から１つ選びなさい。 29

❶ 아쉽습니다 → 残念です
② 흥미롭습니다 → 興味深いです
③ 부럽습니다 → うらやましいです
④ 무섭습니다 → 怖いです

【問２】本文の内容と一致するものを①～④の中から１つ選びなさい。 30

① 나는 역사에 전혀 관심이 없다.
→ 私は歴史にまったく関心がない。
② 나는 축구 선수가 되어서 한일전에 나가고 싶다.
→ 私はサッカー選手になって日韓戦に出たい。
❸ 한국과 일본 사이가 좋아지는 것이 나의 바람이다.
→ 韓国と日本の仲が良くなることが私の願いだ。
④ 유학 중에 한국인 친구를 많이 사귀었다.
→ 留学中に韓国人の友達とたくさん付き合った。

解 答

9 対話文を読んで【問１】～【問２】に答えなさい。

A：손님, 무엇을 도와 드릴까요?
B：다른 게 아니라 지난주에 여기서 산 이 컴퓨터가 고장이 나서요.
A：정말 죄송합니다. 영수증은 가지고 오셨어요?
B：아니요, 버렸는데……. 없으면 안 되나요?
A：네, 손님. 우리 가게 상품이라는 걸 확인해야 되거든요.
B：(31) 여기서 샀는데요.
A：손님, 그러면 그때 쓰신 카드는 있으세요?
B：네, 여기 있습니다.

[日本語訳]

A：お客様、何をお手伝いいたしましょうか？
B：他でもなく先週ここで買ったこのパソコンが故障しまして。
A：大変申し訳ありません。領収証は持って来られましたか？
B：いいえ、捨ててしまったんですけど…無いとだめですか？
A：はい、お客様。当店の商品だということを確認しなければならないんですよ。
B：(31)ここで買ったんですけどね。
A：お客様、それではその時に使われたカードはございますか？
B：はい、どうぞ。

【問１】（ 31 ）に入れるのに最も適切なものを①～④の中から１つ選びなさい。 31

① 얼마든지 → いくらでも　② 자꾸만 → しきりに
❸ 틀림없이 → 間違いなく　④ 따라서 → 従って

Point 適切な副詞を選ぶ問題。①は、얼마든지 먹을 수 있다「いくらでも食べられる」、②は、자꾸만 눈물이 난다「しきりに涙が出る」、④は국내산 재료만을 씁니다. 따라서 가격이 좀 비쌉니다「国産の材料だけを使っています。従って価格が少し高いです」のように使われる。

【問２】本文の内容と一致するものを①～④の中から１つ選びなさい。 32

① 손님은 현금을 주고 컴퓨터를 샀다.
→ 客は現金を払ってパソコンを買った。

② 손님은 영수증을 집에 두고 왔다.
→ 客は領収証を家に置いてきた。

❸ 컴퓨터를 이 가게에서 샀다는 확인이 필요하다.
→ パソコンをこの店で買ったという確認が必要だ。

④ 컴퓨터를 고칠 수 없어서 새로 사기로 했다.
→ パソコンを直せないので新しく買うことにした。

解　答

10 文章を読んで【問１】〜【問２】に答えなさい。

소설을 쓰자면 쓰고 싶다는 생각만으로는 안 된다. 우선 구체적인 계획을 세워야 한다. (33) 쓰다가 보면 앞뒤가 안 맞게 된다. 전체적인 그림을 먼저 그리고 어느 부분에 어느 사건을 넣을지 미리 정해 놓으면 부족한 부분도 보이게 된다. 전반적*인 이미지가 그려진 다음에 펜을 든다. 그리고 이상한 부분은 없는지 몇 번이라도 고치고 또 고칠 필요가 있다. 고치면 고칠수록 좋은 글이 나온다. 소설을 쓴다는 것은 쉬운 일이 아니다. 이름을 남길 수도 있는 대단한 일이다.

*) 전반적：全般的

[日本語訳]

小説を書こうと思うなら書きたいという思いだけではだめだ。まず具体的な計画を立てなければいけない。(33)書いてみると、つじつまが合わなくなる。全体的な絵をまず描いて、どの部分にどの事件を入れるかあらかじめ決めておけば足りない部分も見えてくる。全般的なイメージが描けた後でペンを執る。そしておかしい部分がないか何度でも直してまた直す必要がある。直せば直すほど良い文章ができる。小説を書くということは簡単なことではない。名前を残すこともできるすごいことである。

第53回 解答

【問1】（ 33 ）に入れるのに最も適切なものを①～④の中から1つ選びなさい。 33

① 자료를 잘 이해한 후에 → 資料をよく理解したうえで
② 내용을 잘 정리해서 → 内容をよく整理して
③ 순서를 정하고 → 順序を決めて
❹ 아무 생각 없이 → 何も考えずに

Point （ ）の後ろに続く、앞뒤가 안 맞게 된다の意味が分かると楽に解ける問題。直訳は「前後が合わなくなる」だが、「つじつまが合わなくなる」という意味の3級の慣用句だ。①～③は全てポジティブな内容なので、つじつまが合わなくなることはない。④は明らかにネガティブな内容で、つじつまが合わなくなるので正答。

【問2】本文の内容と一致するものを①～④の中から1つ選びなさい。 34

① 이것저것 생각하기보다는 먼저 쓰는 것이 중요하다.
→ あれこれ考えるよりも、まずは書くことが重要だ。
② 일단 쓴 문장은 고치지 않는 게 좋다.
→ 一旦書いた文章は直さないほうが良い。
③ 소설을 쓰면 누구든지 이름을 남길 수 있다.
→ 小説を書けば誰でも名を残せる。
❹ 좋은 소설을 쓰자면 전체적인 계획이 필요하다.
→ いい小説を書こうとするならば全体的な計画が必要だ。

解　答

11 下線部の日本語訳として適切なものを①～④の中から１つ選びなさい。

1）그 친구는 너무 눈이 높아서 애인이 없는 것 같다.　**35**

→ その友達は理想が高すぎて恋人がいないみたいだ。

① 目が大きすぎて　❷ 理想が高すぎて
③ 人目を気にしすぎて　④ 気が利(き)かなすぎて

2）역 앞에 새로 생긴 가게에는 없는 것이 없다.　**36**

→ 駅前に新しくできた店にはなんでもある。

❶ なんでもある。　② 品揃え(しなぞろえ)が悪い。
③ 行く時間がない。　④ 誰もいない。

3）치료를 받으면 좀 덜 아플 겁니다.　**37**

→ 治療を受ければ痛みが和らぐでしょう。

① もっとひどくなると思います。
② 熱が下がると思います。
❸ 痛みが和(やわ)らぐでしょう。
④ 痛いところが治るでしょう。

12 下線部の訳として適切なものを①～④の中から１つ選びなさい。

1）大丈夫ですよ。<u>大変なことになった訳でもないじゃないですか。</u> 38

→ 괜찮아요. <u>큰일이 난 것도 아니잖아요.</u>

❶ 큰일이 난 것도 아니잖아요.

→ 大変なことになった訳でもないじゃないですか。

② 이제부터 시작이잖아요.

→ これから始まりじゃないですか。

③ 힘든 것이 이유가 아니잖아요.

→ つらいのが理由ではないじゃないですか。

④ 큰일이 될 리가 없잖아요.

→ 大事になるわけがないじゃないですか。

Point ①が正答だが④を選んだ受験者も少なくなかった。①と④は似ている文だが、使われてる連体形の時制に注目すべき。①は나다「起こる、発生する」の過去連体形で、④は되다「なる」の未来連体形。問題文が過去のことを言っていることからも正答が①だと分かる。되다の意味が「なる」だから問題文と同じだと単純に考えると間違える。

2）ついに、彼は<u>本性をさらけ出した。</u> 39

→ 그는 드디어 <u>가면을 벗었다</u>.

解　答

① 값이 나갔다.

→ 高価だった。

❷ 가면을 벗었다.

→ 本性をさらけ出した。

③ 얼굴을 못 들었다.

→ 顔を上げられなかった。

④ 생각을 돌렸다.

→ 考えを変えた。

3）後で分かったのだが、二人は生き別れた兄妹であった。 40

→ 알고보니 둘은 생이별한 남매였다.

① 뒤를 돌아보니

→ 後ろを振り返ってみると

② 무슨 소리냐 하면

→ 何のことかというと

③ 바꿔 말하면

→ 言い換えると

❹ 알고 보니

→ 後で分かったのだが

Point 選択肢は全て3級の慣用句。①を選んだ受験者が多かったが、①は「後ろを振り向くと」とか「過去を振り返ると」などの意味で、誤答。正答は④で알다「知る、分かる、理解する」と보니「見ると」が結合して、알고 보니「後で分かったのだが」という慣用句になっている。

3級聞きとり 正答と配点

●40点満点

問題	設問	マークシート番号	正　答	配　点
1	1)	1	③	2
	2)	2	②	2
2	1)	3	①	2
	2)	4	④	2
	3)	5	②	2
	4)	6	①	2
	5)	7	②	2
	6)	8	①	2
3	1)	9	④	2
	2)	10	①	2
	3)	11	④	2
	4)	12	②	2
4	1)	13	③	2
	2)	14	④	2
	3)	15	②	2
	4)	16	②	2
5	1)	17	④	2
	2)	18	④	2
	3)	19	③	2
	4)	20	④	2
合　計				40

3級筆記　正答と配点

●60点満点

問題	設問	マークシート番号	正答	配点
1	1)	1	②	1
	2)	2	①	1
	3)	3	③	1
2	1)	4	①	1
	2)	5	④	1
	3)	6	①	1
	4)	7	③	1
	5)	8	②	1
	6)	9	④	1
3	1)	10	②	1
	2)	11	①	1
	3)	12	②	1
	4)	13	③	1
	5)	14	①	1
4	1)	15	④	2
	2)	16	②	2
	3)	17	②	2
	4)	18	③	2
5	1)	19	④	1
	2)	20	④	1
	3)	21	③	1
6	1)	22	②	2
	2)	23	④	2
	3)	24	①	2
	4)	25	②	2
7	1)	26	②	1
	2)	27	④	1
	3)	28	④	1
8	問1	29	①	2
	問2	30	③	2
9	問1	31	③	2
	問2	32	③	2
10	問1	33	④	2
	問2	34	④	2
11	1)	35	②	2
	2)	36	①	2
	3)	37	③	2
12	1)	38	①	2
	2)	39	②	2
	3)	40	④	2
合　計				60

반절표(反切表)

	【1】	【2】	【3】	【4】	【5】	【6】	【7】	【8】	【9】	【10】
母音 / 子音	ㅏ [a]	ㅑ [ja]	ㅓ [ɔ]	ㅕ [jɔ]	ㅗ [o]	ㅛ [jo]	ㅜ [u]	ㅠ [ju]	ㅡ [ɯ]	ㅣ [i]
【1】 ㄱ [k/g]	가	갸	거	겨	고	교	구	규	그	기
【2】 ㄴ [n]	나	냐	너	녀	노	뇨	누	뉴	느	니
【3】 ㄷ [t/d]	다	댜	더	뎌	도	됴	두	듀	드	디
【4】 ㄹ [r/l]	라	랴	러	려	로	료	루	류	르	리
【5】 ㅁ [m]	마	먀	머	며	모	묘	무	뮤	므	미
【6】 ㅂ [p/b]	바	뱌	버	벼	보	뵤	부	뷰	브	비
【7】 ㅅ [s/ʃ]	사	샤	서	셔	소	쇼	수	슈	스	시
【8】 ㅇ [無音/ŋ]	아	야	어	여	오	요	우	유	으	이
【9】 ㅈ [tʃ/dʒ]	자	쟈	저	져	조	죠	주	쥬	즈	지
【10】 ㅊ [tʃʰ]	차	챠	처	쳐	초	쵸	추	츄	츠	치
【11】 ㅋ [kʰ]	카	캬	커	켜	코	쿄	쿠	큐	크	키
【12】 ㅌ [tʰ]	타	탸	터	텨	토	툐	투	튜	트	티
【13】 ㅍ [pʰ]	파	퍄	퍼	펴	포	표	푸	퓨	프	피
【14】 ㅎ [h]	하	햐	허	혀	호	효	후	휴	흐	히
【15】 ㄲ [ˀk]	까	꺄	꺼	껴	꼬	꾜	꾸	뀨	끄	끼
【16】 ㄸ [ˀt]	따	땨	떠	뗘	또	뚀	뚜	뜌	뜨	띠
【17】 ㅃ [ˀp]	빠	뺘	뻐	뼈	뽀	뾰	뿌	쀼	쁘	삐
【18】 ㅆ [ˀs]	싸	쌰	써	쎠	쏘	쑈	쑤	쓔	쓰	씨
【19】 ㅉ [ˀtʃ]	짜	쨔	쩌	쪄	쪼	쬬	쭈	쮸	쯔	찌

【11】	【12】	【13】	【14】	【15】	【16】	【17】	【18】	【19】	【20】	【21】
ㅐ [ɛ]	ㅒ [jɛ]	ㅔ [e]	ㅖ [je]	ㅘ [wa]	ㅙ [wɛ]	ㅚ [we]	ㅝ [wɔ]	ㅞ [we]	ㅟ [wi]	ㅢ [ɯi]
개	걔	게	계	과	괘	괴	궈	궤	귀	긔
내	냬	네	녜	놔	놰	뇌	눠	눼	뉘	늬
대	댸	데	뎨	돠	돼	되	둬	뒈	뒤	듸
래	럐	레	례	롸	뢔	뢰	뤄	뤠	뤼	릐
매	먜	메	몌	뫄	뫠	뫼	뭐	뭬	뮈	믜
배	뱨	베	볘	봐	봬	뵈	붜	붸	뷔	븨
새	섀	세	셰	솨	쇄	쇠	숴	쉐	쉬	싀
애	얘	에	예	와	왜	외	워	웨	위	의
재	쟤	제	졔	좌	좨	죄	줘	줴	쥐	즤
채	챼	체	쳬	촤	쵀	최	춰	췌	취	츼
캐	컈	케	켸	콰	쾌	쾨	쿼	퀘	퀴	킈
태	턔	테	톄	톼	퇘	퇴	퉈	퉤	튀	틔
패	퍠	페	폐	퐈	퐤	푀	풔	퓌	퓌	픠
해	햬	헤	혜	화	홰	회	훠	훼	휘	희
깨	꺠	께	꼐	꽈	꽤	꾀	꿔	꿰	뀌	끠
때	떄	떼	뗴	똬	뙈	뙤	뚸	뛔	뛰	띄
빼	뺴	뻬	뼤	뽜	뽸	뾔	뿨	쀄	쀠	쁴
쌔	썌	쎄	쎼	쏴	쐐	쐬	쒀	쒜	쒸	씌
째	쨰	쩨	쪠	쫘	쫴	쬐	쭤	쮀	쮜	쯰

かな文字のハングル表記
（大韓民国方式）

【かな】	【ハングル】	
	<語頭>	<語中>
あ い う え お	아 이 우 에 오	아 이 우 에 오
か き く け こ	가 기 구 게 고	카 키 쿠 케 코
さ し す せ そ	사 시 스 세 소	사 시 스 세 소
た ち つ て と	다 지 쓰 데 도	타 치 쓰 테 토
な に ぬ ね の	나 니 누 네 노	나 니 누 네 노
は ひ ふ へ ほ	하 히 후 헤 호	하 히 후 헤 호
ま み む め も	마 미 무 메 모	마 미 무 메 모
や ゆ よ	야 유 요	야 유 요
ら り る れ ろ	라 리 루 레 로	라 리 루 레 로
わ を	와 오	와 오
が ぎ ぐ げ ご	가 기 구 게 고	가 기 구 게 고
ざ じ ず ぜ ぞ	자 지 즈 제 조	자 지 즈 제 조
だ ぢ づ で ど	다 지 즈 데 도	다 지 즈 데 도
ば び ぶ べ ぼ	바 비 부 베 보	바 비 부 베 보
ぱ ぴ ぷ ぺ ぽ	파 피 푸 페 포	파 피 푸 페 포
きゃ きゅ きょ	갸 규 교	캬 큐 쿄
しゃ しゅ しょ	샤 슈 쇼	샤 슈 쇼
ちゃ ちゅ ちょ	자 주 조	차 추 초
にゃ にゅ にょ	냐 뉴 뇨	냐 뉴 뇨
ひゃ ひゅ ひょ	햐 휴 효	햐 휴 효
みゃ みゅ みょ	먀 뮤 묘	먀 뮤 묘
りゃ りゅ りょ	랴 류 료	랴 류 료
ぎゃ ぎゅ ぎょ	갸 규 교	갸 규 교
じゃ じゅ じょ	자 주 조	자 주 조
びゃ びゅ びょ	뱌 뷰 뵤	뱌 뷰 뵤
ぴゃ ぴゅ ぴょ	퍄 퓨 표	퍄 퓨 표

撥音の「ん」と促音の「っ」はそれぞれパッチムのㄴ、ㅅで表す。
長母音は表記しない。タ行、ザ行、ダ行に注意。

かな文字のハングル表記
（朝鮮民主主義人民共和国方式）

【かな】	【ハングル】	
	< 語頭 >	< 語中 >
あ い う え お	아 이 우 에 오	아 이 우 에 오
か き く け こ	가 기 구 게 고	까 끼 꾸 께 꼬
さ し す せ そ	사 시 스 세 소	사 시 스 세 소
た ち つ て と	다 지 쯔 데 도	따 찌 쯔 떼 또
な に ぬ ね の	나 니 누 네 노	나 니 누 네 노
は ひ ふ へ ほ	하 히 후 헤 호	하 히 후 헤 호
ま み む め も	마 미 무 메 모	마 미 무 메 모
や ゆ よ	야 유 요	야 유 요
ら り る れ ろ	라 리 루 레 로	라 리 루 레 로
わ を	와 오	와 오
が ぎ ぐ げ ご	가 기 구 게 고	가 기 구 게 고
ざ じ ず ぜ ぞ	자 지 즈 제 조	자 지 즈 제 조
だ ぢ づ で ど	다 지 즈 데 도	다 지 즈 데 도
ば び ぶ べ ぼ	바 비 부 베 보	바 비 부 베 보
ぱ ぴ ぷ ぺ ぽ	빠 삐 뿌 뻬 뽀	빠 삐 뿌 뻬 뽀
きゃ きゅ きょ	갸 규 교	꺄 뀨 꾜
しゃ しゅ しょ	샤 슈 쇼	샤 슈 쇼
ちゃ ちゅ ちょ	쟈 쥬 죠	쨔 쮸 쬬
にゃ にゅ にょ	냐 뉴 뇨	냐 뉴 뇨
ひゃ ひゅ ひょ	햐 휴 효	햐 휴 효
みゃ みゅ みょ	먀 뮤 묘	먀 뮤 묘
りゃ りゅ りょ	랴 류 료	랴 류 료
ぎゃ ぎゅ ぎょ	갸 규 교	갸 규 교
じゃ じゅ じょ	쟈 쥬 죠	쟈 쥬 죠
びゃ びゅ びょ	뱌 뷰 뵤	뱌 뷰 뵤
ぴゃ ぴゅ ぴょ	뺘 쀼 뾰	뺘 쀼 뾰

撥音の「ん」は語末と母音の前ではㅇパッチム、それ以外ではㄴパッチムで表す。
促音の「っ」は、か行の前ではㄱパッチム、それ以外ではㅅパッチムで表す。
長母音は表記しない。タ行、ザ行、ダ行に注意。

「ハングル」能力検定試験

2019年春季　第52回検定試験状況

●試験の配点と平均点・最高点

級	配点（100点満点中）			全国平均点			全国最高点		
	聞・書	筆記	合格点（以上）	聞・書	筆記	合計	聞・書	筆記	合計
1級	40	60	70	20	33	53	34	49	81
2級	40	60	70	26	35	62	40	58	97
準2級	40	60	70	27	37	64	40	58	98
3級	40	60	60	22	34	57	40	60	98
4級	40	60	60	29	43	73	40	60	100
5級	40	60	60	33	49	82	40	60	100

●出願者・受験者・合格者数など

	出願者数（人）	受験者数（人）	合格者数（人）	合格率	累計（1回～52回）		
					出願者数	受験者数	合格者数
1級	87	83	10	12.0%	4,598	4,198	481
2級	361	309	109	35.3%	23,713	21,225	2,942
準2級	1,042	899	378	42.0%	56,954	51,436	16,508
3級	2,369	2,056	909	44.2%	104,966	93,571	49,179
4級	2,863	2,488	1,935	77.8%	124,161	110,348	80,215
5級	2,585	2,236	1,966	87.9%	111,501	99,286	79,770
合計	9,307	8,071	5,307	65.8%	426,836	380,936	229,181

※累計の各合計数には第18回～第25回までの準1級出願者、受験者、合格者数が含まれます。

■年代別出願者数

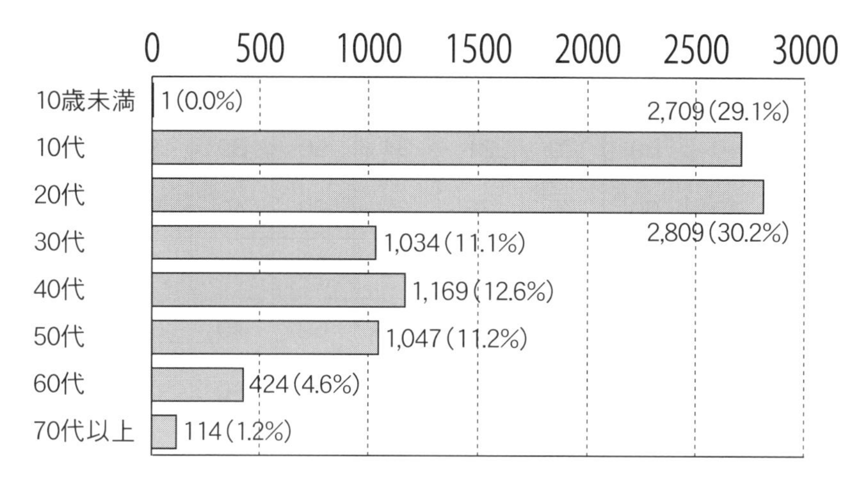
0
500
1000
1500
2000
2500
3000
10歳未満
1(0.0%)
10代
2,709(29.1%)
20代
2,809(30.2%)
30代
1,034(11.1%)
40代
1,169(12.6%)
50代
1,047(11.2%)
60代
424(4.6%)
70代以上
114(1.2%)

■職業別出願者数

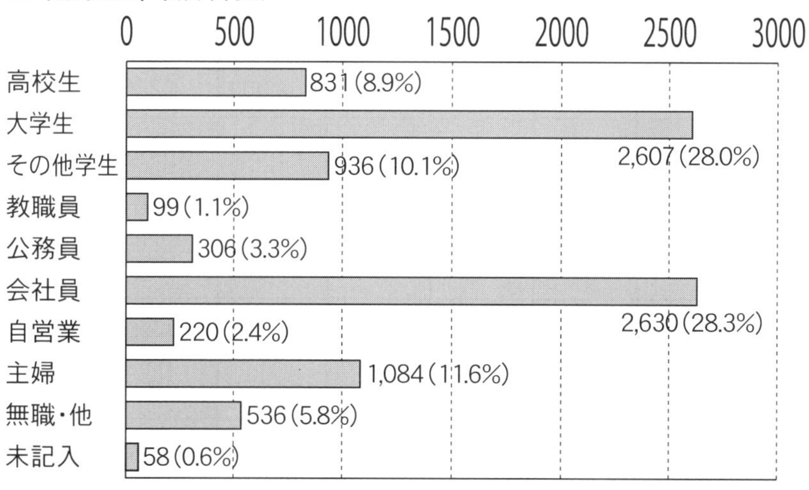
0
500
1000
1500
2000
2500
3000
高校生
831(8.9%)
大学生
2,607(28.0%)
その他学生
936(10.1%)
教職員
99(1.1%)
公務員
306(3.3%)
会社員
2,630(28.3%)
自営業
220(2.4%)
主婦
1,084(11.6%)
無職・他
536(5.8%)
未記入
58(0.6%)

2019年秋季　第53回検定試験状況

●試験の配点と平均点・最高点

級	配点(100点満点中)			全国平均点			全国最高点		
	聞・書	筆記	合格点(以上)	聞・書	筆記	合計	聞・書	筆記	合計
1級	40	60	70	21	34	56	39	52	86
2級	40	60	70	26	33	60	40	55	93
準2級	40	60	70	25	38	63	40	60	100
3級	40	60	60	26	43	69	40	60	100
4級	40	60	60	28	42	70	40	60	100
5級	40	60	60	31	44	76	40	60	100

●出願者・受験者・合格者数など

	出願者数(人)	受験者数(人)	合格者数(人)	合格率	累計(1回～53回)		
					出願者数	受験者数	合格者数
1級	91	84	15	17.8%	4,689	4,282	496
2級	396	331	91	27.4%	24,109	21,556	3,033
準2級	1,193	1,065	406	38.1%	58,147	52,501	16,914
3級	2,906	2,575	1,864	72.3%	107,872	96,146	51,043
4級	3,360	2,933	2,173	74.0%	127,521	113,281	82,388
5級	2,978	2,601	2,059	79.1%	114,479	101,887	81,829
合計	10,924	9,589	6,608	68.9%	437,760	390,525	235,789

※累計の各合計数には第18回～第25回までの準1級出願者、受験者、合格者数が含まれます。

■年代別出願者数

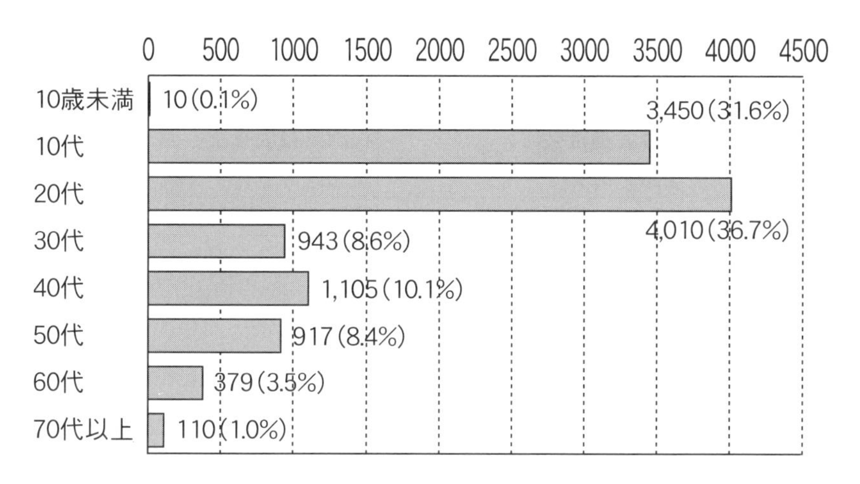
0
500
1000
1500
2000
2500
3000
3500
4000
4500
10歳未満
10(0.1%)
10代
3,450(31.6%)
20代
4,010(36.7%)
30代
943(8.6%)
40代
1,105(10.1%)
50代
917(8.4%)
60代
379(3.5%)
70代以上
110(1.0%)

■職業別出願者数

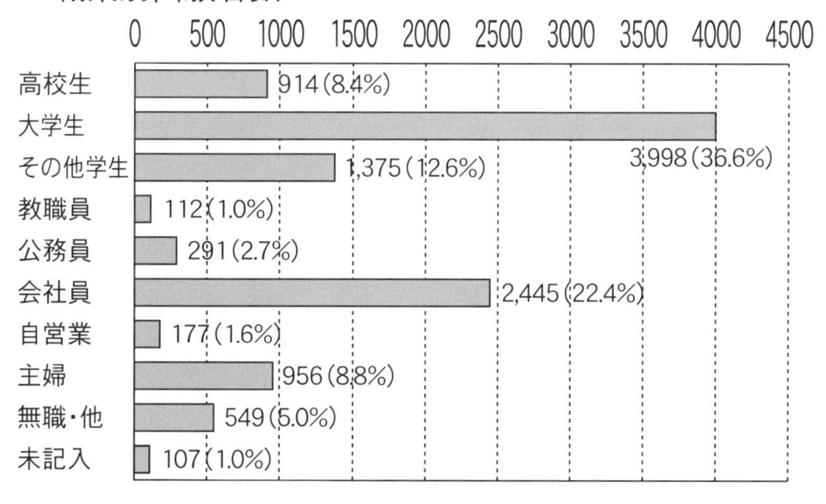
0
500
1000
1500
2000
2500
3000
3500
4000
4500
高校生
914(8.4%)
大学生
3,998(36.6%)
その他学生
1,375(12.6%)
教職員
112(1.0%)
公務員
291(2.7%)
会社員
2,445(22.4%)
自営業
177(1.6%)
主婦
956(8.8%)
無職・他
549(5.0%)
未記入
107(1.0%)

春季第52回・秋季第53回 試験会場一覧

都道府県コード順

〈東日本〉

受験地	第52回会場	第53回会場
札　幌	かでる2・7	北海商科大学
盛　岡	いわて県民情報交流センター「アイーナ」	いわて県民情報交流センター「アイーナ」
仙　台	ショーケー本館ビル	ショーケー本館ビル
秋　田	秋田県社会福祉会館	秋田県社会福祉会館
茨　城	筑波国際アカデミー	筑波国際アカデミー
宇都宮	国際ＴＢＣ高等専修学校	国際ＴＢＣ高等専修学校
群　馬		藤岡市総合学習センター
埼　玉	獨協大学	獨協大学
千　葉	千葉経済大学短期大学部	敬愛大学
東京Ａ	専修大学（神田キャンパス）	フォーラムエイト
東京Ｂ	東京学芸大学（小金井キャンパス）	武蔵野大学（武蔵野キャンパス）
神奈川	神奈川大学（横浜キャンパス）	神奈川大学（横浜キャンパス）
新　潟	新潟県立大学	新潟県立大学
富　山	富山県立伏木高等学校	富山県立伏木高等学校
石　川	金沢勤労者プラザ	金沢勤労者プラザ
長　野		長野朝鮮初中級学校
静　岡	静岡学園早慶セミナー	静岡県男女共同参画センターあざれあ
浜　松		浜松労政会館

春季第52回・秋季第53回 試験会場一覧

都道府県コード順

〈西日本〉

受験地	第52回会場	第53回会場
名古屋	IMYビル	IMYビル
四日市		四日市朝鮮初中級学校
京　都	京都女子大学	京都女子大学
大　阪	関西大学(千里山キャンパス)	関西大学(千里山キャンパス)
神　戸	神戸市外国語大学	神戸市外国語大学
鳥　取	鳥取市福祉文化会館	鳥取市福祉文化会館
岡　山		岡山朝鮮初中級学校
広　島	広島ＹＭＣＡ国際文化センター	広島ＹＭＣＡ国際文化センター
香　川	アイパル香川	アイパル香川
愛　媛	松山大学(樋又キャンパス)	松山大学(文京キャンパス)
福　岡	西南学院大学	西南学院大学
北九州	北九州市立八幡東生涯学習センター	北九州市立八幡東生涯学習センター
佐　賀	メートプラザ佐賀	佐賀県立佐賀商業高等学校
熊　本	くまもと県民交流館パレア	熊本市国際交流会館
大　分	立命館アジア太平洋大学	立命館アジア太平洋大学
鹿児島	鹿児島県青少年会館	鹿児島県文化センター宝山ホール
沖　縄	浦添市産業振興センター「結の街」	浦添市産業振興センター「結の街」

◆準会場での試験実施は、第52回31ヶ所、第53回37ヶ所となりました。
皆様のご協力に感謝いたします。

1級2次試験会場一覧

都道府県コード順

※1級1次試験合格者対象

受験地	第52回会場	第53回会場
東　京	ハングル能力検定協会　事務所	ハングル能力検定協会　事務所
大　阪	新大阪丸ビル別館	新大阪丸ビル別館
福　岡		

●合格ラインと出題項目一覧について

◇合格ライン

	聞きとり		筆記		合格点
	配点	必須得点(以上)	配点	必須得点(以上)	100点満点中(以上)
5級	40		60		60
4級	40		60		60
3級	40	12	60	24	60
準2級	40	12	60	30	70
2級	40	16	60	30	70
	聞きとり・書きとり		筆記・記述式		
	配点	必須得点(以上)	配点	必須得点(以上)	
1級	40	16	60	30	70

◆解答は、５級から２級まではすべてマークシート方式です。
　１級は、マークシートと記述による解答方式です。
◆5、４級は合格点(60点)に達していても、聞きとり試験を受けていないと不合格になります。

◇出題項目一覧

	初　級		中　級		上　級	
	5級	4級	3級	準2級	2級	1級
学習時間の目安	40時間	80	160	240～300	—	—
発音と文字					*	*
正書法						
語彙						
擬声擬態語			*	*		
接辞、依存名詞						
漢字						
文法項目と慣用表現						
連語						
四字熟語				*		
慣用句						
ことわざ						
縮約形など						
表現の意図						
テクストの理解と産出 内容理解						
テクストの理解と産出 接続表現	*	*				
テクストの理解と産出 指示詞	*	*				

※灰色部分が、各級の主な出題項目です。
　「＊」の部分は、個別の単語として取り扱われる場合があることを意味します。

協会発行書籍案内　협회 발간 서적 안내

「ハングル」検定公式テキスト ペウギ 準2級/3級/4級/5級

ハン検公式テキスト。これで合格を
目指す！　暗記用赤シート付。
準2級/2,700円（税別）※CD付き
3級/2,500円（税別）
5級、4級/各2,200円（税別）
※A5版、音声ペン対応

新装版　合格トウミ 初級編 / 中級編 / 上級編

レベル別に出題語彙、慣用句、慣用表現
等をまとめた受験者必携の一冊。
暗記用赤シート付。
初級編/1,600円（税別）
中級編、上級編/2,200円（税別）
※A5版、音声ペン対応

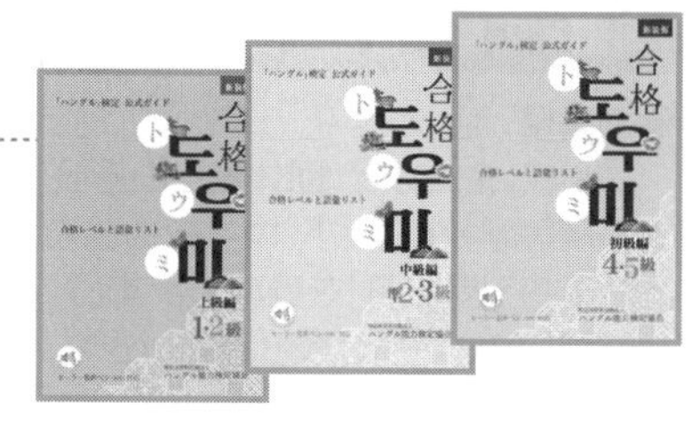

中級以上の方のためのリスニングBOOK 読む・書く「ハン検」

長文をたくさん読んで「読む力」を鍛える！
1,800円（税別）
※A5版、音声ペン対応
別売CD/1,500円（税別）

ハン検 過去問題集（CD付）

年度別に試験問題を収録した過去問題集。
学習に役立つワンポイントアドバイス付！
1、2級/2,000円（税別）
準2、3級/1,800円（税別）
4、5級/1,600円（税別）

★☆★詳細は協会ホームページから！★☆★

協会書籍対応　音声ペン

対応書籍にタッチするだけでネイティブの発音が聞ける。
合格トウミ、読む書く「ハン検」、ペウギ各級に対応。
7,819円（税込8,600円）

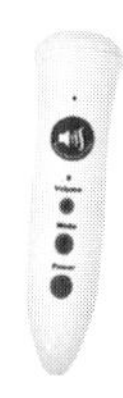

好評発売中！
2019年版
ハン検 過去問題集（CD付）

◆2018年第50回、51回分の試験問題と正答を収録、学習に役立つワンポイントアドバイス付！

１級、２級……………………………………各2,000円（税別）
準２級、３級…………………………………各1,800円（税別）
４級、５級……………………………………各1,600円（税別）

購入方法

①全国主要書店でお求めください。（すべての書店でお取り寄せできます）
②当協会へ在庫を確認し、下記いずれかの方法でお申し込みください。

【方法１：郵便振替】
振替用紙の通信欄に書籍名と冊数を記入し代金と送料をお支払いください。お急ぎの方は振込受領書をコピーし、書籍名と冊数、送付先と氏名をメモ書きにしてFAXでお送りください。

◆口座番号：00160－5－610883
◆加入者名：ハングル能力検定協会

（送料1冊350円、2冊目から1冊増すごとに100円増、10冊以上は無料）

【方法２：代金引換え】
書籍代金（税込）以外に別途、送料と代引き手数料がかかります。詳しくは協会へお問い合わせください。

③協会ホームページの「書籍販売」ページからインターネット注文ができます。
（http://www.hangul.or.jp）

※音声ペンのみのご注文：送料500円/1本です。2本目以降は1本ごとに100円増となります。書籍と音声ペンを併せてご購入頂く場合：送料は書籍冊数×100円＋音声ペン送料500円です。ご不明点は協会までお電話ください。
※音声ペンは「ハン検オンラインショップ」からも注文ができます。

2020年版「ハングル」能力検定試験

ハン検 過去問題集〈3級〉

2020年3月1日発行

編　著　特定非営利活動法人
ハングル能力検定協会

発　行　特定非営利活動法人
ハングル能力検定協会
〒101-0051 東京都千代田区神田神保町2-22-5Ｆ
TEL 03-5858-9101　FAX 03-5858-9103
http://www.hangul.or.jp

製　作　現代綜合出版印刷株式会社

定価（本体1,800円＋税）
HANGUL NOURYOKU KENTEIKYOUKAI
ISBN 978-4-910225-01-2　C0087　¥1800E

<落丁・乱丁本はおとりかえします>　Printed in Japan